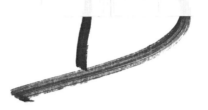

LA SIRVIENTA Y EL LUCHADOR

colección andanzas

Libros de Horacio Castellanos Moya en Tusquets Editores

HORACIO CASTELLANOS MOYA
LA SIRVIENTA Y EL LUCHADOR

TUSQUETS
EDITORES

1.ª edición: febrero de 2011

Diseño de la colección: Guillemot-Navares
Reservados todos los derechos de esta edición para
Tusquets Editores, S.A. - Cesare Cantù, 8 - 08023 Barcelona
www.tusquetseditores.com
ISBN: 978-84-8383-302-5
Depósito legal: B. 1.205-2011
Fotocomposición: Anglofort, S.A.
Impresión: Limpergraf, S.L. - Mogoda, 29-31 - 08210 Barberà del Vallès
Encuadernación: Reinbook
Impreso en España

Índice

Porque el hombre tampoco conoce su tiempo: como los peces que son atrapados en la mala red, y como las aves que se prenden en lazo, así son enlazados los hijos de los hombres en el tiempo malo, cuando cae de repente sobre ellos.

Eclesiastés

Primera parte

1

La gorda Rita trae en una mano el plato con caldo de pollo, arroz y verduras cocidas; en la otra, el manojo de tortillas. Los pone sobre la mesa.

El Vikingo ya tiene la cuchara empuñada. Se apresura a probarlo, para constatar si está hirviendo, como a él le gusta.

El caldo le quema el paladar, el esófago, las tripas, o lo que queda de ellas. Es lo único que come, cada mediodía.

La Gorda le ha dado la espalda.

—¿Y el fresco? —reclama el Vikingo, mirando de reojo hacia la puerta de entrada.

—Qué jodés —dice la Gorda, sin voltearse. Y luego grita—: ¡Marilú, traele un vaso de fresco al Vikingo!

Del televisor, empotrado en la alacena, sale una voz de mujer que anuncia un champú.

—Casi no tiene pollo esta mierda —se queja el Vikingo, hurgando con la cuchara en el plato.

La Gorda está recogiendo los trastos sucios de la mesa de los macheteros.

—Qué jode este Vikingo —repite.

Los tres macheteros echan una ojeada al Vikingo;

pelan sus dientes podridos. Luego voltean hacia el televisor.

Qué me ven estos cabrones, se dice el Vikingo, molesto. No tienen idea de quién fue él, nunca lo vieron fajarse en lucha libre de las de su tiempo, lo consideran un viejo detective enfermo. Campesinos de mierda.

Marilú sale de la cocina con el vaso de fresco.

Los tres macheteros voltean en el acto. No le despegan la mirada de las piernas y el trasero.

—A la puta con ustedes, no puede aparecer la niña porque casi se le tiran encima —se queja la Gorda.

—La niña —mascula el Vikingo con burla—. ¿De qué es el fresco, mi amor? —le pregunta.

—De melón —dice Marilú, con su vestido de organdí.

Los tres macheteros pelan de nuevo sus dientes podridos, sin quitarle la vista del trasero a Marilú hasta que ésta vuelve a la cocina.

—Sí, es una niña —dice la Gorda, indignada.

Los macheteros se han puesto de pie; toman sus sombreros de palma.

—Y ese gran culo entonces, ¿se lo han prestado? —comenta el Vikingo.

El machetero alto se acomoda los cojones; apenas sonríe.

—Paguen, que ya me deben semana y media de almuerzos —reclama la Gorda.

—El viernes —escupe el machetero gordo.

Y cruzan entre las mesas hacia la puerta de la calle.

—Hijos de la gran puta —mascula la Gorda antes de entrar a la cocina.

14

El Vikingo se ha quedado solo en el comedor. Así le gusta, por eso viene de último, cuando ya todos han comido y han regresado al Palacio Negro.

—Se te ve bien jodido, Vikingo —grita la Gorda desde la cocina.

Sí, está muy mal, quizá muriéndose, pero desde cuándo le importa a ella.

Y sigue sorbiendo, a cucharadas, lenta, ruidosamente, que mientras esté tragando le irá bien. Los retortijones pueden venir después, cuando salga a la calle o cuando llegue al Palacio Negro.

—¿Querés más tortillas? —pregunta la Gorda desde el umbral.

—Ese gordo es rencoroso, no lo retés —le advierte el Vikingo.

—Que paguen. No les tengo miedo —dice la Gorda. Y le tira dos tortillas sobre la mesa.

Porque no los ha visto destazando... Hacen cantar al más valiente tras el primer tajo.

—De verás, Vikingo, ¿has ido al hospital? —pregunta la Gorda. Jala una silla para sentarse—. Estás cadavérico, cada vez más flaco, pálido como la muerte —dice. Y luego grita—: ¡Marilú, traeme mi plato para acá!

El Vikingo mastica un pedazo de tortilla. Le faltan un incisivo, un colmillo y casi todas las muelas.

Marilú trae un plato con albóndigas y arroz.

—¿Cuándo me la vas a prestar? —le pregunta el Vikingo a la Gorda, sin quitarle la vista de encima a Marilú—. Que me vaya a asear la habitación, aquello es un desastre, necesito una niña limpia y ordenada como ella.

—Estás loco —dice la Gorda, restregando la tortilla en el caldo de las albóndigas.

El Vikingo mira ahora con descaro el trasero de Marilú que regresa a la cocina; la Gorda le espanta la mirada con la mano, como si fuese otra mosca.

—Viejo cochino, te debería dar vergüenza —dice—. Cualquier día te encontrarán hecho cadáver. Y ya ni se te ha de parar esa tu cosa —agrega, señalándole la entrepierna con un gesto de la boca.

—¿Querés probar? —pregunta el Vikingo.

La Gorda lo ignora; mastica, ruidosa, sin cerrar la boca.

—¡Marilú! —grita—, apagá esa televisión que ya no hay noticias.

El Vikingo hace a un lado el plato vacío; bebe el vaso de fresco. Luego eructa y se limpia la boca con el dorso de la mano.

—De veras, te ves mal —repite la Gorda—. Deberías ir al hospital.

—Para hospitales estoy yo... —dice el Vikingo—. Ni cuando casi me quiebra la nuca el Black Demon, y hubo que suspender la lucha, dejé que me llevaran a un hospital. Menos ahora.

—No seás necio. Ya no sos el luchador de hace cuarenta años. Todo el mundo comenta que se te ve la muerte en la cara.

—Aquí todos tenemos la muerte en la cara.

Saca del bolsillo de la camisa la cajetilla de cigarrillos.

—Pero vos estás más muerto que vivo.

16

–Porque soy el más viejo –dice–. Conseguime cerillos.

–¡Marilú, que apagués el televisor te ordené, que estás sorda, muchacha! –grita la Gorda–. Y traele unos cerillos al Vikingo.

Sufre un amago de contracción en el estómago. Le gustaría vomitarle en el plato a la Gorda.

Marilú le entrega los cerillos. El Vikingo le toma la mano.

–Te venís conmigo, mi amor, para que me arreglés la habitación y te doy unos centavitos –le propone.

–¡Soltala, abusivo! –exclama la Gorda, y empuja a Marilú a un lado. Sufre un acceso de tos.

–Te vas a atragantar –le advierte el Vikingo mientras enciende el cigarrillo. Y le pedirá al machetero gordo que la destace para venderla como carne para picadillo y con la niña se quedará él.

Le echa el humo en la cara a la Gorda.

–Echá más humo –pide ella–, que hay mucha mosca.

–Que soy tu cholero, mamacita...

–¿Viste al mayor Le Chevalier en el noticiero? –pregunta la Gorda.

–¿Anoche?

–Lo repitieron hoy a mediodía –dice la Gorda–. Qué huevotes tiene el hombre, cuadriculados. Se les lanzó al cuello a los curas, denunció con nombre y apellido a cada uno de los comunistas, comenzando por el tal monseñor. Deben de estar cagados de miedo.

–Nunca vamos a acabar con tanto hijueputa –murmura el Vikingo, pensativo, exhalando la humareda.

Tira la colilla al piso de cemento; la restriega con la suela de la bota.

Sí, debería ir al hospital, pero a qué horas, con tanto trabajo, con lo alerta que debe permanecer cuando viene la carga. Y capaz que los doctores lo encierren, ya no lo dejen salir hasta que sea cadáver.

–Vos deberías retirarte –dice la Gorda–. Ya no estás para estos trotes. ¿No tenés familia o alguien que te cuide?

–En este oficio nadie se retira.

Saca otro cigarrillo, el último antes de regresar al Palacio Negro. Quisiera una tacita de café, aunque el escozor le haga un huraco en la panza.

–Dame un café –pide.

La Gorda está hurgándose entre las muelas con la uña del meñique.

–Pero vos sí me vas a pagar hoy, ¿verdad?

–El viernes.

–Hijo de puta. Todos ustedes son iguales –le espeta la Gorda antes de gritarle a Marilú que le traiga un café al Vikingo.

2

Sale a la calle con su cachucha de beisbolista, sus gafas oscuras con aro de oro, la pistola en la cintura bajo la camisa holgada.

Todos quieren enviarlo al hospital o a su habitación o a la morgue, a donde sea. Sacarlo de circulación, como si ya no sirviera, como si no hiciera bien su trabajo, como si en nada fuera útil su experiencia, como si ser el más viejo no tuviera valor.

Le gustaría ver a uno de esos recién llegados recibiendo sus morongazos, a puño limpio, incluido ese capitancito Villacorta, su nuevo jefe. Si lo hubieran visto luchar en la Arena Metropolitana cuando derrotó al Hijo del Santo, si lo hubieran visto machacar a sus contrincantes con el candado al cuello y la quebradora, sus llaves favoritas, le tendrían más respeto. Sus primeros jefes en la policía siempre iban a verlo y se sentaban en primera fila, frente al cuadrilátero.

Camina lentamente, atento a la inminente contracción de sus tripas, bajo el solazo maldito.

Por suerte el Palacio Negro está a sólo dos calles.

Echa un vistazo a sus espaldas, a la acera de enfrente: nadie lo sigue. Un autobús pasa zumbando cerca de la cuneta.

Escupe hacia donde pasó el autobús; la baba amarga, purulenta.

Y quién se cree esa Gorda: ¿su madre?, ¿su mujer?, ¿qué le pasa? Tiene que estar muy mal para aguantarle a esa fofa los consejos que nunca le ha aguantado a nadie. Lo que le faltaba.

Entonces lo paralizan el retortijón, el escalofrío, la náusea. Tiene que llegar hasta los baños del Palacio Negro. Pero no llegará; se apoya en la pared: vomita. Y entre arcada y arcada echa un ojo a su alrededor. Lo último que quisiera es que en esas condiciones lo sorprendieran por la espalda. Que ahora ni cerca del Palacio Negro se está seguro, que los cabroncitos pasan ametrallando como si estuvieran de fiesta.

Fue culpa del mugroso café. Escupe. Se limpia la boca con el dorso de la mano. Enciende un cigarrillo.

Dos jóvenes uniformados vienen de frente, le sonríen con desprecio, como si dijeran: mirá esta miseria, ya se nos muere. Quisiera responderles: váyanse por la sombra, que la mierda bajo el sol se seca. Pero no tiene aliento. Con expresión de asco, los uniformados pasan de largo, evitando el vómito sanguinolento.

Camina de nuevo, tratando de darle firmeza a su paso. Está sudando; la boca le sabe a podrido. Se quita las gafas, para secarlas con la franelita que saca del estuche, pendiente del cinturón. Es lo que más cuida: sus gafas Ray Ban de aro dorado; su amuleto, lo que más le pesaría perder. Y, claro, la calzoneta de cuando fue luchador que yace envuelta en papel de regalo en una caja en su habitación; a veces, en sus momentos de solaz, aún puede oír al presentador cuando decía: «Y en esta esquina, procedente de los mares del Norte, el Vikingo...».

Cruza el retén apostado en la bocacalle del Palacio Negro. Ninguno de los uniformados lo saluda ni le pone atención; como si no existiera. Se siente en casa. Disfruta de la agitación, la alharaca de quienes entran y salen, la estampida de los jeeps y de los autopatrullas.

Enfila hacia la entrada. El Chicharrón camina delante de él, inflado, cachetón, prieto.

—¡Chicharrón!...

Éste se voltea:

—Apurate, Vikingo, que hoy te toca salir con nosotros.

¿Salir? Qué buena noticia: es lo que le encanta, lo que siempre hizo, lo que ya casi no lo dejan hacer porque dicen que está muy viejo, que la presa se le puede escapar, que ha perdido los reflejos. Por eso lo tienen en los sótanos.

Le vuelve la vitalidad. Guarda sus Ray Ban en el estuche antes de bajar las escaleras.

—¿Ya sabés adónde vamos? —pregunta el Vikingo.

—Ahora nos ordenará el capitán.

Recorren el pasillo donde están las cloacas, los dominios del Vikingo, las ergástulas donde él les da la bienvenida a los recién llegados, a los que van de paso, porque ahora ahí nadie se queda.

—Viera la cosita que acaban de tirar en la cinco —le dice Altamirano, un agente nuevo, joven, que viene por el pasillo en sentido contrario—. Está bien rica —se lo dice con lascivia, en corto, para que no lo escuche el Chicharrón. Y le habla de usted, con respeto, como se hacía en los viejos tiempos.

—Al rato iré —le responde el Vikingo, con un guiño cómplice; se dirige detrás del Chicharrón hacia el otro lado de los sótanos, por donde se sale al estacionamiento, donde el capitán Villacorta tiene su despacho.

—¿Estás bien, Vikingo? —le pregunta el capitán, de sopapo, como si lo hubiera visto vomitar hace un rato.

–Claro, ¿por qué lo pregunta, mi capitán?

Que no le vaya a salir con que no lo va a llevar este mariquita.

–Mirate, estás hecho una calamidad –le dice mientras mastica una hamburguesa–, me da miedo que te nos murás en medio de una operación.

Está sentado, tras una pequeña mesa repleta de papeles y radiocomunicadores; mete la mano en el pucho de papas fritas.

–En media hora salimos –les ordena, terminante, y les hace una señal para que se larguen.

–Puta, Vikingo, no abrás la trompa que te apesta a pus –le dice el Chicharrón, cuando ya han salido del despacho–. Le arruinaste el almuerzo al capitán.

–¿Querés un beso, papito?

–Ni el culo te dejaría besarme –le dice el Chicharrón, adelantándose.

El Vikingo enfila hacia los sanitarios. Orina; piensa en las nalguitas de Marilú mientras se la jala para que le salgan las últimas gotas, las dolorosas. Luego se enjuaga la boca varias veces; se humedece el rostro y el cabello completamente cano. Saca un peine del bolsillo trasero izquierdo del pantalón, el mismo bolsillo donde porta la billetera, y se peina hacia atrás, sin verse en el espejo resquebrajado. Regresa al pasillo.

Va hacia la cloaca número cinco. Tiene media hora para revisar a la recién llegada; cuando vuelva de la pesca ella seguramente ya estará en manos de los macheteros. Abre la puerta. Hay ocho bultos tirados en el piso, desnudos, atados de pies y manos, con la boca amordazada, vendados con cinta adhesiva. Antes de ir a comer estuvo magullando a los siete primeros. Es su trabajo: machacarlos, sacarles la mierda, nada más. Pronto vendrán por ellos para llevarlos a la ópera, que es donde cantan sus secretos, y enseguida serán carne para los macheteros.

Toma a la muchacha por el cabello y la alza, como se alza por la nuca a las perritas de raza. Es muy baja, leve, bien formada, frágil, como una muñequita. Se ha meado; todas se mean. Y tiembla.

Quisiera machacarle las tetas, pero se siente exhausto, sabe que el retortijón sigue rondándolo. La tira al suelo y le pega un puntapié para hacerla a un lado.

La muchacha se estremece, boca abajo, las manos atadas por la espalda, con espasmos, muy cerca de donde otros tres cuerpos yacen amontonados.

Y no se ha equivocado: aquí está de nuevo el retortijón. Permanece inmóvil, en el centro de la cloaca, transpirando, con las manos en el estómago, los ojos cerrados. Esto se pone cada vez peor. Pronto no podrá hacer ningún esfuerzo, se quedará sin trabajo.

Poco a poco se repone, aunque aún transpira y siente como si le hubieran chupado sus fuerzas.

De repente Altamirano entra a la cloaca, ansioso.

—Creí que ya no venías —le dice el Vikingo.

Y repara en el trasero redondo y alzado de la muchacha; se le sienta en la espalda. Luego, con ambas manos, abre las nalgas de la muchacha: le escupe en el ano.

—¿Te parece? —pregunta.

Altamirano hace una mueca.

–¿Te da asco mi saliva, culerito?

–No friegue.

Altamirano es el único agente que no se aburre ni le hace burla cuando él comienza a contarle sus hazañas como luchador, sus combates que hicieron historia, tantos años atrás, cuando muchos aficionados lo reconocían y lo saludaban en la calle. Por eso a veces le comparte una presa.

–Desamárrale los pies –le ordena el Vikingo.

Altamirano desata la cuerda, la toma por los tobillos y le abre las piernas.

El Vikingo le mete un dedo.

La muchacha sufre espasmos.

–Si se caga, le toca palo de escoba –dice el Vikingo.

En eso entra el Chicharrón.

–Vámonos, cabrones, que el capitán está esperando –dice–. Y a ésa déjala, que los de la ópera ya vienen por ella; es fiera y tiene que cantarlo todo, rapidito.

Salen al pasillo, deprisa, con rumbo hacia el estacionamiento.

3

Bien galán va el Vikingo en el asiento trasero del jeep, junto a Altamirano; el Chicharrón conduce. Los tres con la pistola entre los muslos.

24

–Te vas por la calle Modelo, pasando frente al zoológico, hacia la colonia Costa Rica –le ordena el capitán desde el asiento del copiloto, con la subametralladora Uzi y el radiocomunicador sobre los muslos.

Del estacionamiento salen a la cuesta; cruzan, veloces, los retenes; circundan el parque Libertad.

El centro de la ciudad parece un hormiguero. Al Vikingo le gusta buscar los ojos de los transeúntes, pero cada rostro se gira hacia otro lado cuando el jeep se acerca.

Ya tenía casi una semana sin que lo sacaran a dar una vuelta. Ahora van a una pesca precisa, jugosa, según parece por el entusiasmo del capitán; pero el Vikingo prefiere cuando salen a recorrer las calles con parsimonia, se detienen frente a las paradas de buses, revisan con atención la jeta de cada uno de los que esperan, en busca del primero que se delate. Le encanta verlos, hojitas temblorosas del miedo, con la mirada en el suelo, como si el culo se les hubiera caído y no lo encontraran.

Cada vez tiene más sabor a podrido en la boca. Le urgen unos chicles, no vaya a ser que el capitán le agarre ojeriza por los comentarios del Chicharrón sobre su aliento, y ya no quiera sacarlo otra vez para la pesca.

–Es una parejita –dice el capitán–. El gordo Silva y su grupo los tienen cuadriculados. Vamos sólo al mandado.

Los detiene la luz roja del semáforo en la intersección de la avenida Delgado y la calle Modelo. El

Vikingo se fija en el Mazda rojo que frena a su lado. Van tres cabroncitos sospechosos.

–Capitán –dice el Vikingo y señala con un movimiento de cabeza hacia el Mazda.

Los del Mazda se hacen los distraídos.

Seguro que les encuentran algo.

El Vikingo y Altamirano toman sus pistolas.

El capitán mira su reloj de pulsera.

–Vamos con el tiempo exacto –dice–. Metele –le ordena al Chicharrón.

Avanzan con lentitud, a causa del tráfico. El Vikingo no les quita la vista de encima a los del Mazda, hasta que cambian de rumbo, no vaya a ser el tuerce, que ya una vez los tirotearon por la espalda; los cabroncitos de entonces se pusieron nerviosos y armaron el alboroto.

Pasan frente al zoológico.

Por el radiotransmisor del capitán anuncian que hubo una emboscada del lado de la colonia Zacamil; un autopatrulla arde y dos agentes están muertos; piden refuerzos con urgencia para peinar la zona.

–Ya casi llegamos –dice el capitán. Toma el radiotransmisor para comunicarse con el gordo Silva. Éste le dice que los objetivos están dentro de la casa y se disponen a salir.

Rebasan el jeep del gordo Silva estacionado cerca de la bocacalle.

–Ésa es la casa –dice el capitán.

Pasan de largo. Y se detienen a mitad de la manzana, bajo unos almendros. Permanecen en el auto.

El plan es sencillo: pescará primero el que esté en la dirección contraria hacia donde el objetivo camine. Es la rutina, sorprenderlos por la espalda.

El Vikingo enciende un cigarrillo; guarda cuidadosamente sus Ray Ban en el estuche.

–Vienen sin plomo –confirma el capitán–, pero corren, son deportistas. Y el hombre es el nuestro –ordena.

Los segundos se dilatan, sudorosos.

Y entonces los ven salir de la casa, altos y flacos los dos: él, trigueño, de gafas y el cabello afro; ella, rubia, con los pantalones ceñidos.

Caminan en dirección hacia la bocacalle.

El Chicharrón enciende el jeep.

–Te toca a vos, Vikingo –ordena el capitán–, a ver si todavía apretás.

Altamirano sonríe. ¿De qué se ríe este culerito? ¿También él le perderá el respeto?

El Vikingo tira el cigarrillo hacia la calle.

El jeep avanza despacio, como si fuera de paso.

El tipo voltea.

Entonces el Chicharrón acelera, se mete a la acera y los arrincona con la trompa del auto.

El Vikingo y Altamirano han saltado con las pistolas empuñadas.

–¡Quietos, hijos de puta! –gritan casi al unísono.

Los tipos han alzado las manos, con las caras desencajadas.

El capitán sale con parsimonia, la Uzi en la mano; el jeep del gordo Silva se incrusta en la acera y frena de golpe.

El Vikingo le pega una fuerte patada tras la rodilla al flaco; éste cae hacia atrás. Luego lo toma de los cabellos, le mete la pistola en la boca y lo arrastra hacia el jeep. Lo tira boca abajo en el piso trasero.

El gordo Silva y el Veneno se llevan a rastras a la rubia a su jeep.

Las gafas del flaco han quedado tiradas en la acera; el capitán se acerca a recogerlas.

El Vikingo y Altamirano se acomodan en el asiento: presionan y dan pisotones con sus botas al cuerpo del flaco.

–Puta, Vikingo, todavía te salen tus pasaditas de luchador –dice el Chicharrón, sonriente, mientras arranca.

–Porque nunca me viste tirar mis patadas voladoras... –exclama el Vikingo, aún con resuello, pero ufano.

El capitán y el Chicharrón se lanzan una mirada cómplice.

Altamirano ata por la espalda los pulgares del flaco con un hilo de nylon.

–Este cabrón es demasiado largo, deberíamos cortarlo por las rodillas –dice el Vikingo.

–Es cierto –dice Altamirano, observando las piernas alzadas contra la portezuela, que el flaco ha tenido que doblar por las rodillas.

El capitán les pasa el rollo de cinta adhesiva. El Vikingo levanta por los cabellos la cabeza del flaco para que Altamirano pueda vendarlo; también le sella la boca.

Hay menos tráfico. El jeep toma velocidad sobre la calle Modelo. El Vikingo se relaja, disfruta del aire

28

que entra por la ventanilla; enciende otro cigarrillo y se pone de nuevo los Ray Ban.

–Qué mala suerte, mi capitán, que al gordo le tocó llevarse ese culote –comenta el Chicharrón.

–Son las órdenes –dice el capitán–. Pero ahí va a estar, no te preocupés.

–¿Será gringa esa rubia? –pregunta Altamirano.

El capitán le dice, amenazante, sin mirarlo:

–Seguí preguntando, pendejo...

El Vikingo padece de pronto una leve contracción: el líquido purulento le sube a la boca. Le urge comprar los chicles de menta. Escupe por la ventanilla, le pega un pisotón en el cerebelo a la presa.

Un operador llama al capitán por el radiotransmisor. La orden es que el flaco sea llevado de inmediato a la ópera, sin pasar por las cloacas.

–Sos importante, mierdita –le dice el Vikingo, restregando el tacón de su bota en la sien del flaco.

–¿Y al culote se lo llevarán también de una vez a la ópera, mi capitán? –pregunta el Chicharrón, consternado.

–Estás ansioso –se burla el Vikingo.

–A vos porque ya no se te para –responde el Chicharrón.

Es la segunda vez que se lo dicen en el día.

Altamirano sonríe.

Qué les pasa a estos hijos de puta. Le dan ganas de soltarle un cachazo en la jeta a Altamirano.

Entra un llamado de urgencia por el radiotransmisor: a partir de este instante, todos los cuerpos de seguridad y todas las unidades deben pasar a alerta roja.

El Chicharrón trata de lanzar un silbido de asombro, pero sólo le sale un sonido destemplado.

–¿Dónde habrán atacado? –pregunta Altamirano.

–Ya te lo dije, Chicharrón, si te aplicás a chupármela media hora al día, en un mes aprenderás a silbar como Dios manda –le espeta el Vikingo.

El Chicharrón escupe por la ventanilla.

–Dejen de hablar babosadas y estén alertas –ordena el capitán, empuñando la subametralladora y echando una ojeada a los autos que los circundan.

–No entendés nada –le susurra el Vikingo a Altamirano, apretando los pocos dientes, con desprecio.

Porque son ellos los que están atacando, el Vikingo lo comprendió desde que escuchó la orden de que el flaco no pasara por sus manos sino que se fuera directo a la ópera. Su olfato le dice que en otros autos van otros tipos como el flaco, maniatados y vendados, directo a las brasas.

Piensa que el gordo Silva irá con el acelerador a fondo, tratando de llegar lo antes posible al Palacio Negro, para reventar al culote rubio antes de que el capitán se haga presente.

Expele la última bocanada de humo y apaga la colilla destripándola en la nuca del flaco.

4

Entran al estacionamiento unos segundos después del jeep del gordo Silva.

Han reforzado el cerco de seguridad alrededor del Palacio Negro; el Vikingo percibe la agitación, como si el ataque fuera inminente.

El capitán ordena:

—Vos, Vikingo, con el Chicharrón lleven a este hijo de puta a la ópera, rapidito, que yo iré en un momento.

Y se apresura hacia la Dirección, a dar parte.

El Vikingo jala por los cabellos al flaco; lo conduce así, como si fuera un perro.

Altamirano desaparece por los pasillos del sótano, detrás del gordo Silva y el culote rubio.

—Guárdenme algo, maricones —les grita el Chicharrón, y con rabia le pega una patada en las costillas al flaco.

La ópera está del otro lado del patio; ahí sólo van los que tienen que cantar largo y tendido. Los otros pasan directamente de las cloacas a manos de los macheteros, donde escupen el nombre o la dirección exigida luego del primer filazo, al compás de las rancheras que escuchan los macheteros.

Los esperan el Choquito Gadeas y dos de sus hombres; aquél usa gafas de culo de botella y es blanco, pecoso, escuálido. Algunos le dicen ingeniero; otros, electricista. Es el jefe de la picana, de la plancha de acero. Es el que los tuesta, poco a poco, hasta que cantan.

—Apúrense que tengo un vergazo de trabajo pendiente —les dice.

—Siempre llevándotelas de importante —le espeta el Vikingo, y le lanza de un tirón al flaco. Le cae en los meros huevos este ciego maricón.

—¿Ya estuvo? —pregunta el Chicharrón, ansioso por salir en carrera hacia la cloaca donde le están reventando el culote a la rubia.

Al Vikingo le gustaría quedarse, inquirir, echar una ojeada dentro de la ópera, o del taller, como lo llama el Choquito Gadeas, porque antes en ese galerón funcionaban los talleres mecánicos para los autopatrullas. Está seguro de que hay otros del calibre del flaco ahí adentro y que la plana mayor vendrá a escuchar el canto, quién quita y hasta llega el gringo que se cree artista de cine y aparece cada vez que cae uno de los que se dicen líderes, el gringo que dicen que entrenó al Choquito.

—No corrás, Chicharrón, que aunque sean los pelos del culo de la rubia te van a dejar —le dice el Vikingo, cuando ya los de la ópera han cerrado la puerta a sus espaldas. Meses atrás, el Vikingo o cualquier otro detective podía entrar a ver cómo hacían su trabajo el Choquito y su gente; ahora las órdenes son estrictas, cada quien en su área.

Cruzan el estacionamiento cuando dos jeeps irrumpen aparatosamente; traen cargamento. No me equivoqué, se jacta el Vikingo. A uno de los dos capturados lo reconoce de inmediato: es el tal Juan Chacón, líder de los bochincheros, muy machito, el cabrón. Ya estuvo una vez acá; entonces hubo que ponerlo en libertad por las presiones. De ésta no se escapará. Los conducen a empellones hacia la ópera.

–Yo debería ver más televisión para saber quién es cada uno de estos cabrones –masculla el Vikingo, que no reconoce al otro preso y de pronto descubre que está en ascuas sobre quién es el flaco al que devanó en la calle hace un rato.

–Mejor ni saber –dice el Chicharrón mientras apresura el paso.

Entran al pasillo de las cloacas.

El Vikingo paladea de nuevo la pudrición en su boca. Escupe; decide salir a comprar los chicles de menta.

–Ya regreso –le dice al Chicharrón, quien está por entrar a la cloaca donde el gordo Silva, el Veneno y Altamirano le estarán reventando el culote a la rubia.

–Si te tardás ya no te quedarán ni los huesos –le advierte el Chicharrón, sudando de la ansiedad.

No disfruta el Vikingo en medio del gentío. Le gusta estar a solas con la presa, o a lo más con Altamirano, que no hace comentarios. Y mejor se apresura a quitarse la pestilencia de la boca, no vaya a ser que el Chicharrón tenga razón y el capitán le agarre ojeriza.

Sale por el portón del Palacio Negro; ese trecho de calle está cortado a la circulación de autos. Camina hacia la esquina, donde están apostados, entre sacos de arena, los francotiradores y el nicho de la ametralladora. Le gustaría ir al comedor de la gorda Rita, pero ahí no venden chicles. Tendrá que salir del perímetro de seguridad hasta la tienda de Chucho. Antes había vendedores de golosinas en las esquinas, pero ahora, con los ametrallamientos, se han ido lejos del Palacio Negro.

Tiene que caminar cien metros desde el retén hasta la tienda. Las órdenes dictan salir del perímetro de seguridad en pareja, pero el Vikingo dice que ya está viejo para tanta mariconada.

Se quita las gafas Ray Ban; se reacomoda la pistola bajo la falda de la camisa.

Le parece una pendejada que no haya una mugrosa tienda para comprar chicles en el Palacio Negro; la que había, la cerraron.

–Con cuidado, Vikingo –le dice uno de los policías desde el nido de la ametralladora.

Apenas responde con un movimiento de cabeza; da gracias de que sus tripas ahora permanezcan quietas.

Aprovechará para comprar de una vez más cigarrillos.

La tienda de Chucho está ubicada a una manzana del parque Libertad, donde a la subversión le encanta montar el relajo, desde donde a veces se lanzan para atacar los retenes.

Atento, camina por la acera; no encuentra más que un par de transeúntes, vienen hacia el Palacio; se reacomoda la cachucha: el resplandor aún hiere, aunque ya son pasadas las tres de la tarde.

–Qué pasó, Vikingo –lo saluda Chucho desde detrás del mostrador–, hace ratos que no venías.

Es canoso, arrugado y con barriga cervecera; veinte años atrás abrió esa tienda, desde entonces se conocen.

—Mucho trabajo —dice el Vikingo, satisfecho de haber entrado a la penumbra fresca; se quita la cachucha, se rasca la cabeza y pide una cerveza.

Éste era el sitio donde tiempo atrás bebían los de la sección política hasta que cargaban motores para lanzarse a la Arena Metropolitana, a disfrutar de la lucha libre, y luego a donde las putas. Ahora todo se pudrió, ya no pueden estar tranquilos fuera del Palacio.

Chucho pone la cerveza sobre el mostrador.

El Vikingo siente que le hablan las tripas. Qué putas. Bebe un largo trago.

Entonces retumba el bombazo.

—¡La gran puta! —exclama el Vikingo. Desenfunda la pistola y se acerca cautelosamente a la puerta de la tienda; lleva la cerveza en la mano izquierda.

—Reventaron un bus en la esquina del parque —dice desde el umbral.

Chucho ya está a su lado.

Truenan sendas ráfagas y enseguida otra explosión.

—Me voy —dice el Vikingo y bebe de un trago lo que resta de la cerveza.

—Después me pagás —le dice Chucho mientras se apresta a bajar la cortina metálica que sirve de puerta a la tienda.

Camina deprisa hacia el Palacio Negro.

No lo vayan a agarrar estos cabrones. Lo destazarían mientras lo obligan a confesar hasta el último detalle de lo que sucede dentro del Palacio.

Casi corre. Y les chifla a los policías del nido de la ametralladora, para que lo reconozcan, no vaya a ser el tuerce que lo confundan con la avanzada de los subversivos.

Entra al perímetro de seguridad; se detiene para tomar aliento.

—¿Qué viste? —le grita el sargento encargado del retén.

—Quemaron un bus en la esquina del parque —dice el Vikingo.

—Ahorita vienen para acá esos hijos de puta —grita el sargento—. ¡Cúbranse bien!

Se encamina hacia la entrada del Palacio. Le falta el aliento. Se siente exhausto, desguasado, como si supiera que ahí viene el calambre a reventarle el estómago.

Escucha otras dos explosiones. Se apoya de espaldas a la pared, cerca de las escaleras que conducen a las cloacas. Observa la agitación, como si le hubieran pegado una pedrada a un avispero. Siente que una mano lo agarra de las tripas y lo jala hacia el suelo. Suda frío; sufre un temblor incontrolable en el abdomen. No lo deben ver en esas condiciones. Hace un esfuerzo para que el calambre no lo doble. Y camina con pasitos cortos hacia la escalera, para hacerse invisible en la penumbra de las cloacas.

—Apurate, Vikingo, que el capitán nos ha convocado —le grita el Chicharrón desde el pasillo.

El Vikingo trata de enderezarse.

—¿Te hirieron? —le pregunta con alarma el Chicharrón, al ver que aquél se cubre con una mano el abdomen y está pálido, con dificultad para caminar.

El Vikingo niega con un movimiento de cabeza.

36

—La puta úlcera —balbucea—. En un momento los alcanzo. —Y voltea hacia los sanitarios.

Tras una mirada de estupor, el Chicharrón se dirige deprisa a la oficina del capitán.

En el lavabo, el Vikingo se echa agua en el rostro, hace unos enjuagues. Olvidó comprar los chicles. Y la cachucha quedó sobre el mostrador de la tienda de Chucho.

Trata de respirar acompasadamente. Es como si una gota de ácido se deslizara por sus tripas corroyéndolo todo a su paso.

5

Cuando llega al estacionamiento, los otros dos ya están en el jeep esperándolo: el Chicharrón al volante y Altamirano en el asiento del copiloto.

Brinca al asiento trasero.

—La orden del capitán es que disolvamos a tiros a esos hijos de puta y pesquemos lo que podamos —le informa Altamirano.

El Chicharrón le echa una ojeada por el espejo retrovisor.

—No te nos vayás a quedar en la operación, Vikingo —le dice.

—¿Que sos mi mujer para estar preocupada?

El Chicharrón arranca con chillón de llantas.

—Tranquilo, Fangio —le dice el Vikingo.

Les asignaron la zona norte de Catedral, para que incursionen y puedan salir por la calle Arce, explica Altamirano.

Quisiera pasar por la tienda de Chucho a recoger su cachucha, pero la tienda estará cerrada; se siente vulnerable sin la cachucha. Enciende un cigarrillo. No se pondrá las gafas: habrá zamarreo y no quiere arriesgarlas.

Bordean por calles laterales el parque Libertad. La gente camina deprisa, asustada, tratando de alejarse del centro de la ciudad.

A un costado de la Biblioteca Nacional encuentran un bus en llamas.

—Allá van —grita Altamirano, y señala al grupo de jóvenes que corre hacia el parque Libertad.

El Chicharrón maniobra con presteza para bordear el bus.

—No es nuestra ruta —dice.

Al Vikingo le hubiera gustado al menos soltarles un par de plomazos, pero ya están en la siguiente bocacalle.

La voz del capitán entra por el radiotransmisor que Altamirano lleva entre los muslos: en cinco minutos tienen que estar en la calle Arce, en la esquina del Correo, atrás de Catedral.

—Está grueso —comenta Altamirano.

A un lado de la librería Hispanoamericana hay un grupo de cabrones, con pañuelos en el rostro, quebrando a pedradas las vitrinas de los almacenes.

El Chicharrón enrumba hacia ellos, dispuesto a subir a toda velocidad a la acera, a llevárselos entre las ruedas.

–¡Cuidado! –grita el Vikingo.

Desde la otra acera les han lanzado un coctel Molotov que viene directo hacia el cofre del jeep.

El Chicharrón da el volantazo hacia el centro de la calle; casi pierde el control.

Entonces truenan las detonaciones. El Vikingo se tira al piso del jeep y dispara a lo loco.

–¡Acelerá, hijueputa! –grita el Vikingo.

Altamirano se ha acurrucado en el hueco frente al asiento.

Logran llegar a la bocacalle.

–¡Salgamos de aquí, cerote! –le grita el Vikingo.

El Chicharrón dobla a la derecha, sobre la Segunda Avenida, y acelera a fondo.

El Vikingo se asoma con cautela por la parte trasera del jeep.

–Ya estuvo –dice.

–Qué culero nos saliste –le recrimina el Chicharrón a Altamirano, quien trata de incorporarse en el asiento, pálido, demudado.

–Sos bueno para culear putitas amarradas, verdad, pero a la hora de los talegazos sos una niña cagada –le espeta el Vikingo y escupe en el piso.

–Es que me agarraron desprevenido –alcanza a balbucear Altamirano.

–Desprevenidos mis huevos –dice con desprecio el Vikingo–. ¿Y qué creés que andás haciendo?

–¿Y el radiotransmisor? –pregunta el Chicharrón.

Nervioso, Altamirano se palma los muslos, busca en el piso, hurga debajo del asiento.

–Pendejo –le dice el Vikingo pegándole un manotazo en la cabeza. Altamirano quiere reaccionar, indignado, pero ya tiene el cañón de la pistola del Vikingo en la sien.

–¿Qué hacemos con este culero? –le pregunta al Chicharrón.

De súbito, el Chicharrón frena el auto. Le arrebata la pistola a Altamirano.

–¡Bajate! –le ordena.

Altamirano los mira desconcertado. El Vikingo le presiona la sien con el cañón.

–¡Que te bajés y vayás a recuperar el radiotransmisor, marica! –explota el Chicharrón.

–No jodan, si fue un accidente, le pudo haber pasado a cualquiera –balbucea.

–Sólo te pudo pasar a vos –le espeta el Chicharrón, con rabia, y le mete un gancho de izquierda en la boca del estómago. Altamirano se va de bruces hacia el tablero.

–Esos cabrones van a interceptar nuestras comunicaciones –comenta el Vikingo–. Debemos advertirle al capitán.

–Pero primero vamos a la esquina del Correo, que ya nos han de estar esperando para la operación –gime Altamirano, tomando aire, tratando de incorporarse.

El Chicharrón reinicia la marcha.

40

—No te vayás por la avenida España que seguro nos emboscan —le dice el Vikingo.

—Tenemos un minuto para llegar —comenta Altamirano, empurrado, como si hubiera sido castigado injustamente. Le pide a Chicharrón que le devuelva la pistola.

Que se las lleve de listo este culerito, y sabrá lo que es bueno.

El Chicharrón se la entrega.

—A ver si te portás como hombre —le espeta, como si lo escupiera.

En la bocacalle frente al Hotel San Salvador arden dos autobuses. Decenas de personas recorren la avenida España con rumbo hacia Catedral; algunas portan pancartas y gritan consignas. El Vikingo lee: ¡EXIGIMOS LA LIBERTAD INMEDIATA DE JUAN CHACÓN!: BLOQUE POPULAR REVOLUCIONARIO.

—La cabeza les vamos a regresar, hijos de puta —murmura.

Tienen que meterse cien metros más, hasta la esquina del Correo.

—¿Y toda esta molotera es por culpa de esos cabrones que pescamos? —pregunta Altamirano.

Han tenido que bajar la velocidad; los subversivos han cerrado la avenida España a la altura de Catedral y desvían el tráfico.

Retumba otra explosión.

—Ésta es una ratonera —comenta el Chicharrón, preocupado.

Avanzan casi a vuelta de rueda.

—Si nos agarran, nos comen vivos, Altamirano, no vayás a salir con culeradas —le advierte el Vikingo, sin quitarle la vista de encima a las decenas de peatones.

Algunos los miran con recelo, agresivos.

Poco antes de llegar a la esquina del Correo, el Vikingo oye el primer chiflido de burla. Ya los descubrieron. Luego alguien les grita: «¡Orejas, hijos de puta!».

—¿Qué hacemos? —pregunta Altamirano.

Tendrían que disparar contra los que están en el retén que cierra la avenida.

«¡Porque el color de la sangre jamás se olvida: los masacrados serán vengados!», les gritan casi dentro del jeep.

—Vámonos antes de que nos linchen —murmura Altamirano.

El Chicharrón maniobra hacia la derecha para salir por la calle Arce.

El Vikingo logra ver los cientos de personas que se han concentrado en la plaza Barrios, frente a Catedral.

Una manzana adelante, otro grupo ha cerrado con una barricada de neumáticos la Primera Avenida.

Los tres miran hacia delante: por la calle Arce avanzan con rapidez los autos que buscan escapar del centro de la ciudad antes de que los disturbios se expandan.

—Ahorita —dice el Chicharrón. Y acelera al máximo al pasar frente a la barricada.

—¡Jalale, Altamirano! —le grita el Vikingo.

El Vikingo concentra tres tiros en el tipo de la cachucha roja, que parece el jefe; Altamirano dispara con euforia, a los gritos, hasta que se termina el cargador.

–¡Les dimos! –grita Altamirano, agitado.

El Vikingo va parapetado en el asiento en espera de un contraataque.

En la siguiente bocacalle, el Chicharrón da otro volantazo para subirse a la acera y sobrepasar a los dos autos que se detienen frente a la luz roja.

–¡Cuidado! –grita el Vikingo.

Los vio por el rabillo del ojo: dos tipos embozados en pañuelos, empuñando las Uzi, que se apostaban en la avenida lateral.

Truenan los rafagazos.

El Vikingo se ovilla en el piso del jeep.

El Chicharrón, agachado junto al volante, logra atravesar velozmente la bocacalle.

–¡Me dieron! –grita Altamirano.

El Vikingo se asoma por la parte trasera y dispara hacia la esquina, desde donde uno de los tipos les lanza otra ráfaga.

–Están coordinados esos hijos de puta –dice el Chicharrón, reincorporándose.

–Me dieron en el brazo –se lamenta Altamirano.

–¡Dejá de llorar, culero, y preparate por si tienen otra emboscada en la siguiente bocacalle! –le ordena el Vikingo.

El jeep corre a toda velocidad; los demás conductores se hacen a un lado con el espanto en la cara.

Atraviesan la bocacalle sin contratiempo.

–De la que nos salvamos –comenta el Chicharrón–. Creí que esos cabrones me rociaban.

Hasta entonces el Vikingo no repara en el brazo de Altamirano: la herida en el bíceps sangra considerablemente.

–Tanta lloradera por un tirito –le dice.

–¡Llévenme al hospital! –pide Altamirano, a los gritos.

–No te pongás histérica –le advierte el Chicharrón–, que para allá vamos.

6

Llegan al Hospital Militar, frente al parque Cuscatlán; la agitación cunde en la entrada.

No quiere acercarse a urgencias, no quiere ni oler el tufo a enfermedad y encierro: qué tal si de pronto se siente mal y deciden dejarlo allá adentro. Que el Chicharrón acompañe a Altamirano a urgencias mientras él consigue un teléfono en la recepción para comunicarse con el capitán Villacorta, propone al saltar del jeep.

El rumor sobre los disturbios se escucha en los pasillos.

Altamirano y el Chicharrón se dirigen a la sala de urgencias. El Vikingo se identifica ante la recepcionista y le solicita un teléfono. Ella le pregunta si vienen del centro de la ciudad; él le confirma con un movimiento de cabeza.

Pronto está el capitán del otro lado de la línea. Le explica que sufrieron una emboscada con subametralladoras, que Altamirano fue herido en el brazo y perdió el radiotransmisor.

–Ya me di cuenta –le dice el capitán–, por culpa de ustedes hubo que abortar la operación.

Les ordena que ambos regresen de inmediato, bordeando el centro de la ciudad, que la situación está fuera de control.

–¿Qué está pasando? –le pregunta una enfermera.

–Los subversivos están destruyendo el centro de la ciudad –masculla.

El rostro de la enfermera se le hace conocido, pero siente que le falta el aire, que nada tiene que hacer dentro del hospital. Regresa al jeep, al asiento del copiloto, a fumar un cigarrillo. Entonces recuerda que hay un puesto de venta de golosinas del lado del parque. Cruza la calle. Comprará de una vez varias cajetillas de chicles, también cigarrillos.

–Está cabrón por allá –comenta el vendedor, un prieto con dentadura de oro, y hace una mueca hacia el radio.

El Vikingo escucha el noticiero: en toda la zona del parque Libertad y de las plazas Barrios y Morazán, integrantes del Bloque Popular Revolucionario y de las Ligas Populares causan destrozos en protesta por la captura de sus dirigentes, aúlla el locutor.

Se echa cuatro pastillas de chicle a la boca.

El Chicharrón sale del hospital, observa el jeep y luego cabecea en busca del Vikingo.

La dirección de las organizaciones populares ha dado un ultimátum a la junta de Gobierno para que ponga en libertad a los dirigentes, alcanza a escuchar en el radio antes de cruzar la calle.

–Esos hijos de puta creen que nos van a ganar la calle –comenta el Vikingo mientras se acomoda en el asiento.

–¿Qué dijo el capitán? –pregunta el Chicharrón luego de encender el jeep.

–Que entremos al Palacio por atrás, porque esos cabrones tienen bloqueado el centro –dice el Vikingo–. Y que por nuestra culpa hubo que abortar la operación.

–Por culpa de ese llorón.

Avanzan por la Veinticinco Avenida hacia el bulevar Venezuela.

El Vikingo va tranquilo, relajado, disfrutando del viento, seguro de que por esa zona no habrá sorpresas; se dispone a encender otro cigarrillo cuando, de súbito, siente la arcada, profunda, contundente.

–¿Qué te pasa? –le pregunta el Chicharrón, al verlo descompuesto.

–Detenete –logra mascullar, conteniendo el vómito.

El Chicharrón se orilla.

De bruces, desde el asiento, vomita en la cuneta, con tremendo dolor, como si se le estuviese despegando el estómago, como si algo irreversible se hubiese reventado en su interior.

—¡Te estás muriendo, Vikingo! —exclama el Chicharrón, alarmado.

En un descuido, mientras boquea, sudoroso y gimiente, la pistola se le cae a la cuneta, entre el vómito sanguinolento.

—¿Querés que regresemos al hospital? —pregunta el Chicharrón, con una mueca de asco.

—Estás loco —musita—. Ya me va a pasar. Es la úlcera.

Alcanza la pistola y la tira al piso del jeep; logra incorporarse. Queda desmoronado en el asiento, exhausto, sin una gota de energía.

—No le vayás a comentar nada al capitán —logra mascullar, temeroso de que le den de baja, de que lo obliguen a irse a su casa.

—Sos muy pendejo, Vikingo —le dice el Chicharrón mientras reinicia la marcha—. Todo mundo sabe que te estás muriendo.

Quisiera buscar un trapo debajo del asiento para limpiar la pistola, pero permanece desmadejado, incapaz del mínimo acto; sólo el mareo, la fiebre, la escocedura en la panza, y esa baba podrida de nuevo en la boca.

Segunda parte

1

Se baja del autobús a un costado del zoológico. Flaca, huesuda, la nariz corva; lleva un vestido ligero, color crema; el pelo entrecano, lacio, agarrado con una cola de caballo.

Son las siete y cuarenta de la mañana y ya hace calor; siempre se queja del calor, aunque la mayor parte de su vida ha vivido en este calor.

Debe caminar cinco manzanas para llegar a la casa de Albertico.

En la ciudad se percibe un aire de sigilo, como si la gente se resistiese a salir a la calle.

Anoche hubo disturbios; otra vez destrucción, muertos y heridos.

Ella estuvo atenta todo el tiempo a través de la radio; luego vio el noticiero en la tele.

Camina deprisa. Va tarde: les dijo que llegaría a las siete y media. No contaba con los bochinches. Cuando queman autobuses, al día siguiente siempre hay atrasos y apelotonamiento.

Es su primer día de trabajo en casa de Albertico y Ana Brita. Llegará dos veces por semana, eso acordaron días atrás: aseará la casa; lavará y planchará la ropa.

Espera que hayan comprado los implementos para el aseo. Los muchachos acaban de alquilar la casa, de hecho están instalándose por primera vez en esta ciudad.

Quién creyera. Ella tuvo en sus brazos a Albertico cuando éste nació y ahora es todo un hombre de veintisiete años. Y Brita, tan rubia y tan linda, parece un ángel.

Le molesta la sandalia del pie izquierdo; es la segunda ocasión en que la usa, pero aún no la doma. Hará el aseo descalza, para que no se le forme una ampolla.

Ella está segura de que si doña Haydée estuviera viva no aprobaría que Albertico y Brita duerman bajo el mismo techo sin haberse casado, los presionaría hasta llevarlos al matrimonio. Así era doña Haydée, tenaz, convincente. Y quizá Albertico no se podría negar ante la insistencia de su abuela. Pero los tiempos han cambiado.

Recuerda haber visto una tienda en la siguiente manzana; comprará una curita porque siente que está a punto de brotarle la ampolla. Se hubiera venido con las sandalias viejas.

Belka, su hija, no está de acuerdo con que ella se haya comprometido a trabajar donde Albertico; dice que éste seguramente estará metido en política con los comunistas, como lo estuvo su abuelo, don Pericles, y como lo está su padre, don Betío, y que la situación ahora es muy peligrosa.

Se persigna, de forma automática. Cada vez que recuerda a don Pericles, desplomado sobre el escritorio como si se hubiese quedado dormido, con el hilo de sangre en la sien, tal como ella lo encontró, se persigna.

El sol se cuela entre el follaje de los almendros y ya pega con fuerza.

Belka es muy desconfiada, incluso teme que su hijo Joselito se involucre con los bochincheros en la universidad; pero ella sabe que su nieto querido es callado y estudioso, y que la noche anterior regresó muy tarde de la universidad por culpa del relajo contra los autobuses.

Alcanza la esquina. Pasa un camión repleto de soldados; observa en la puerta del camión el escudo de la Brigada de Artillería.

Apura el paso. Descubre, a media manzana, el rótulo de la tienda.

A Belka en verdad no le gusta que ella vuelva a trabajar como sirvienta de los Aragón, como si no hubiese sido gracias a su trabajo de sirvienta con esa familia que la pudo sacar adelante, que pudo pagarle los estudios de enfermería. Ahora a Belka le molesta que ella venga a ayudar a Albertico y Brita. Es una ingrata. En verdad, Belka reniega de que su madre haya sido sirvienta toda la vida.

Entra al pequeño garaje acondicionado con un mostrador, estanterías y el frigorífico. Pide una curita. La chica que está detrás del mostrador es trigueña, usa un vestido corto y la cabellera suelta; toda ella es coquetería. Antes de salir, le pregunta si vende detergente, cera líquida y otros implementos para la limpieza, no vaya a ser que Albertico y Brita no hayan tenido tiempo de hacer la compra.

Vuelve a la acera: se pondrá la curita al nomás llegar a la casa. Tiene veinte minutos de retraso. Qué pena.

Arriba a la manzana en que está ubicada la casa de Albertico.

En esa esquina, dos días atrás, cuando vino por primera vez para conocer el lugar y acordar los términos del empleo, estaba estacionado el jeep con el gordo y el otro sujeto. Ahora no hay nadie. Ella tiene la impresión de que a ese gordo lo ha visto con anterioridad, muchos años atrás, cuando ella trabajaba para don Pericles y la policía lo vigilaba.

El pequeño jardín frente a la casa permanece casi abandonado. Albertico necesitará contratar un jardinero para que venga aunque sea una vez al mes.

Toca el timbre.

En cuanto pueda se pondrá la curita; no quiere trabajar descalza mientras ellos estén ahí.

Nadie abre la puerta.

Qué raro. Le dijeron que por lo menos Brita la estaría esperando.

Por suerte, Albertico se empecinó en darle una copia de la llave.

Volverá a tocar, no vaya a ser que sí estén adentro y ella los encuentre como no debería encontrarlos.

Pero no se oyen pasos, ningún ruido.

Camina por el pequeño jardín para ver a través de la ventana de la sala-comedor. Nada. No hay nadie.

Busca la llave en su bolso de mano.

Seguramente tuvieron que salir temprano y a la carrera, porque ni siquiera le han dejado una nota sobre la mesa del comedor, o en la cocina, o sobre la cama, como ella hubiera esperado. Qué raro.

Todo está en orden, ni un trasto sucio, hasta la cama hecha. Y tienen tan pocos muebles. Pondrá manos a la obra. Busca los implementos de limpieza en la pequeña habitación de servicio que está detrás de la cocina. Sí, por suerte, hicieron la compra: el detergente, la cera para el piso y el líquido para limpiar los cristales aún están en la bolsa del supermercado.

Se descalza y se pone la curita en el talón.

Toma la escoba y se dirige a la sala, para comenzar por el principio.

Entonces ve la pequeña hoja de papel, tirada en el piso, en un rincón, hacia donde seguramente se deslizó cuando ella empujó la puerta de entrada. La recoge con un mal presentimiento. Lee: «Hijos, pasé a verlos porque me quedé preocupado. En cuanto lleguen, llámenme. A».

Es de don Betío, el papá de Albertico.

Qué raro. Quiere decir que él vino muy temprano hoy en la mañana o quizá el mensaje es de ayer y ellos no pasaron la noche aquí.

Camina ansiosa hacia la ventana para ver la calle.

Empieza a barrer, ausente, con una preocupación imprecisa. En el espacio de la sala-comedor está la mesa redonda con cuatro sillas, y un sillón, nada más; de las paredes recién pintadas no cuelga aún ningún cuadro ni adorno. Apenas comienzan a montar su casita, los pobres.

La asusta el timbrazo del teléfono. No lo había visto; está sobre una de las sillas.

−Aló −dice, agitada. Seguramente son ellos.

–Bueno, ¿Brita?

–No, soy María Elena.

–¡María Elena, qué bueno que estás ahí! Soy Yolanda.

Es la prima de Albertico, hija de doña Cecilia.

–Buenos días, niña Yolanda.

–¿Está por ahí Albertico o Brita?

–No, niña Yolanda, cuando yo vine ya se habían ido. Entré con la llave que me dio don Albertico.

–¿No sabés nada de ellos, entonces?

–No, niña Yolanda, sólo encontré un mensaje de don Betío, en un papelito que metió por debajo de la puerta, en el que les pide que se comuniquen con él.

–Betío está muy preocupado porque no sabe nada de ellos desde anoche. Llamó para preguntarme si yo les había prestado la casa de la playa; pero desde el fin de semana pasado no vamos por allá. ¿Dónde se habrán metido? Si aparecen cuando estés por ahí, deciles que se reporten de inmediato.

–Cómo no, niña Yolanda –balbucea, porque de pronto siente una gran angustia.

Ya no puede concentrarse en la limpieza. Camina de nuevo hacia la ventana a mirar a la calle; se frota las manos a la altura del pecho. Se le viene la imagen del jeep con el gordo recostado en el asiento. Sacude su cabeza. Está imaginando cosas. Mejor se pone a trabajar para que no se le haga tarde. Toma de nuevo la escoba.

2

Ha terminado de barrer la habitación; se dispone a recoger la ropa sucia, para llevarla hacia la pila, cuando oye que un auto se detiene frente a la casa.

El corazón le da un vuelco.

Corre hacia la ventana, aunque sabe que ellos no tienen auto.

Se persigna.

El auto se ha clavado en la cochera.

Abre la puerta.

–¡Don Betío! –exclama.

El hombre canoso, con el rostro descompuesto, como quien ha pasado la noche en vela, se sorprende cuando la ve.

–¿Ya llegaron? –pregunta, con ansiedad, mientras sale del auto.

–No –dice ella, fijándose en la mujer que lo acompaña.

–¿Y cómo entraste? –pregunta el hombre.

–Albertico me dio la llave para que le viniera a hacer la limpieza –dice ella, dejándolo pasar.

–¿No encontraste ningún mensaje?

–Sólo el suyo, don Betío.

–¿Y todo estaba en orden cuando entraste?

–Sí, don Betío. Ya ve que tienen tan pocas cosas, pero todo estaba en orden.

–Dios mío –murmura el hombre mientras se frota los ojos con las palmas de las manos, abatido.

La mujer ha entrado a la casa.

–Ésta es María Elena, era la empleada de la familia, y ha venido a limpiar la casa de los muchachos –dice el hombre.

–Buenos días –saluda la mujer.

–Buenos días, señora.

Es alta, gallarda, elegante; camina como si fuera reina de belleza. Muy distinta a la niña Estela, la madre de Albertico. ¿Cuándo se divorció don Betío de la niña Estela? Ella no lo recuerda.

–¿Vos no viste nada raro? –le pregunta el hombre mientras enciende un cigarrillo.

–No, don Betío. ¿Ha pasado algo? La niña Yolanda acaba de llamar preguntando también por Albertico.

–No sé, María Elena. Espero que no. Pero ayer un poco después del mediodía me llamó Brita, muy preocupada porque había visto a unos hombres raros en la esquina. Luego me llamó Albertico y me dijo que no pasaba nada, que eran puros miedos de Brita, que aún no se acostumbra a este país. Me pidió que no me preocupara, me dijo que ellos tenían planes de salir a visitar a unos amigos. Y desde entonces no aparecen.

–Quizá se quedaron a dormir en la casa de esos amigos, como la situación estaba tan fea anoche –dice ella, con la imagen del gordo en el jeep cortándole el aliento.

–Puede ser, pero ya se hubieran reportado –dice él.

–No son unos niños, Beto. No tienen por qué estar reportándose con vos –dice la mujer.

–¿Hasta qué horas vas a estar aquí, María Elena? –le pregunta el hombre.

58

—Hasta que termine de lavar la ropa, don Betío.

—Esperate hasta el mediodía, por favor, por si llaman.

—Con gusto, don Betío.

—Pues vámonos, Beto, que aquí no vamos a lograr nada —dice la mujer, con un tonito mandón.

Cómo va pareciéndose don Betío cada vez más a su padre, don Pericles: los mismos gestos, el mismo peinado, el mismo tono de voz, hasta la misma forma de tomar el cigarrillo.

Le dicen adiós.

Cierra la puerta y vuelve a la habitación, a recoger la ropa sucia.

Es mejor que no les haya comentado nada del jeep en la esquina; sólo hubiera conseguido preocupar más a don Betío. A ellos, al gordo y al otro, se tuvo que haber referido Brita cuando llamó afligida a don Betío.

¿Y si de veras se los llevaron? ¡Padre eterno divino!

Pone la ropa en la pila. Se persigna. Abre el grifo. Mete la ropa blanca en un balde con agua, jabón y cloro para que se despercuda. Comienza a restregar.

Tiene que averiguar algo. Si se los llevó el gordo, debe de haberlos capturado ahí mismo, en el trayecto entre la casa y la parada de buses. Alguien pudo haberse enterado. O quizá no.

Tiende las prendas en el pequeño patio junto a la pila; por suerte los inquilinos anteriores dejaron los cordones colgados. Ya ella lo había comprobado la vez pasada que vino.

Quizá no pudieron regresar a casa por los disturbios de anoche, tal como se le ocurrió decirle a don

Betío, se quedaron donde sus amigos y aparecerán a mediodía, felices y campantes. Dios quiera...

Pero si los capturó ese gordo ayer en la tarde, alguien tuvo que ver algo, siempre hay gente en la calle o en las ventanas.

Claro, la muchacha de la tienda...

Se seca rápidamente las manos. Toma su bolso con la llave de la casa; sale a la calle. Camina deprisa. Recuerda la última vez que capturaron a don Pericles; también sucedió en la tarde: ella había ido a la tienda y, cuando regresaba a casa, el Vikingo se le acercó y le dijo entre dientes: «Dígale al don que ya vienen para acá a llevárselo». El Vikingo era el detective que vigilaba a su patrón y la cortejaba a ella. Entonces María Elena corrió para dar el aviso, aunque de nada sirvió: a don Pericles lo capturaron y enseguida lo expulsaron de nuevo a Costa Rica. Pero eso fue hace nueve años. Las cosas eran de otra manera. Y él era un señor. Ahora sólo los matan.

Llega a la esquina: voltea hacia donde estuvo el jeep; observa ansiosa las casas de los alrededores. Alguien tuvo que darse cuenta.

Cruza la calle.

La muchacha de la tienda la reconoce con simpatía; cree que ha regresado a comprar jabón. Por suerte no hay otro cliente.

–Es mi primer día de trabajo –comenta–, pero los patrones no están. Me han dejado esperando. Una joven alta, rubia, muy guapa, y un trigueño de peinado afro, ¿los ha visto? Viven en la siguiente cuadra.

La muchacha ha mudado el semblante.

–Sí, los he visto –dice, con nerviosismo–. Se acaban de trasladar, ¿verdad?

–Hace una semana, pero desde ayer en la tarde no se sabe nada de ellos –explica María Elena–. La familia está muy preocupada.

La muchacha se da la vuelta para mirar hacia el interior de la casa, muy nerviosa, como si temiera que alguien la escuchara.

Algo ha pasado, Dios mío. Y esta niña lo sabe. No me equivoqué.

La muchacha sale del mostrador, siempre atenta hacia el interior de la casa.

–No me vaya a oír la patrona, que me mete la regañada –cuchichea.

–¿Se los llevaron, verdad? –musita María Elena, contrita, con las manos tomadas a la altura del pecho, en forma de ruego.

–Ayer en la tarde, saliendo de la casa, los estaban esperando –dice la muchacha, en voz muy baja.

–¿Usted vio?

–No, yo estaba aquí en la tienda, la patrona se enoja si salgo a la acera, pero me contó un señor que iba de paso. Dijo que dos jeeps les cerraron el paso y se los llevaron a la fuerza.

–¡Dios mío! –exclama María Elena, a punto del llanto.

–Estaban metidos en algo, ¿verdad? –murmura la muchacha.

–No sé, mi hijita. Ya ves que uno no pregunta.

–El joven, bien galán y simpático, con ese su peinado afro, vino un par de veces acá, a comprar cigarrillos. Ella era gringa, ¿verdad?

María Elena comienza a lagrimear, a sorber mocos.

–¿Fueron esos que estaban en el jeep en la esquina? –masculla.

–¿Cómo sabe? –reacciona la muchacha, con sorpresa.

–Anteayer que vine a ponerme de acuerdo con ellos para comenzarles a hacer el aseo, vi a ese gordo zarco, junto al otro, echados en el jeep, y me dio mala espina.

–Uy, ese gordo asqueroso –exclama con repugnancia la muchacha–. Aquí vino con la pistolota en la cintura, a llevárselas de guapo conmigo.

–¡Dolores! –grita una mujer desde dentro de la casa–. ¿Dónde estás? ¿Qué estás haciendo, muchacha?

–Yo que usted ya no regresaba a esa casa, señora –alcanza a murmurar la chica antes de volver tras el mostrador–. No vaya a ser la mala suerte...

–Gracias, hijita –dice, sollozando.

Sale a la acera; se queda ahí, bajo el sol, completamente ida, con la mirada perdida hacia la esquina donde estuvo el jeep.

Tiene que avisarle a don Betío, es lo más urgente.

Camina deprisa hacia la casa.

La muchacha tiene razón: esa gente puede volver en cualquier momento para llevarse los papeles que Albertico tiene en el clóset de la otra habitación, la que le servirá como estudio, aunque ahora carezca de muebles y nada más haya unos pocos libros amontonados en el piso.

Una mujer riega el césped, al otro lado de la calle. Quizá ella vio algo.

A la carrera atraviesa la calle.

Pero la otra intuye sus intenciones, porque rápidamente deja la manguera sobre el césped, se encamina a cerrar el grifo, entra a la casa y cierra la puerta. Seguramente la ha visto salir de donde Albertico y Brita. Toda la gente en esa manzana debe de estar enterada del chisme, temerosa de hablar con desconocidos sobre ello. No es para menos. Si no se tratara de Albertico, del nieto preferido de don Pericles y la niña Haydée, sus patrones de toda la vida, ella ya se hubiera largado.

Cruza de nuevo la calle.

Ahora advierte que desconoce el número de teléfono de don Betío, ni siquiera sabe dónde vive; debe de estar instalado donde la mujer que lo acompañaba. No se quedará a esperar a que él la llame a mediodía.

Entra a la casa.

Llamará a doña Cecilia, la hermana de doña Haydée y madre de la niña Yolanda. Se sabe el número de memoria: su prima Ana ha sido sirvienta de doña Ceci durante años. Toma el teléfono; le tiembla el pulso mientras disca. Y la presión en el pecho.

Fue doña Cecilia quien la llamó para pedirle que se pusiera en contacto con Albertico; le dijo que éste se había regresado de Costa Rica, estaba instalando su casa y necesitaba una empleada de confianza para que le hiciera el aseo.

–Aló, doña Ceci. Soy María Elena.

–Hijita, ¿tenés alguna noticia? Betío nos contó que estás en la casa de Albertico.

–¡Ay, doña Ceci! –exclama, sin poder contener el llanto–. ¡Se los llevaron ayer en la tarde, unos hombres empistolados!...

Se hace un silencio al otro lado de la línea.

–¿Estás segura? –pregunta enseguida con su voz ronca, cavernosa, la anciana.

–Eso me dijeron en la tienda: que unos hombres en unos jeeps los estaban esperando a la salida de la casa y se los llevaron a la fuerza... Debo avisarle a don Betío, pero no tengo su número de teléfono.

–No te preocupés, hija, nosotros le avisaremos ahora mismo. Y salite de ahí. Andate a tu casa o venite para acá.

3

Ojalá que don Betío logre sacarlos pronto. Dios mío. O la doña Cecilia. Ellos son gente bien, tienen contactos. Pero la situación se ha puesto tan horrible.

Camina por la plaza Morazán: tomará un autobús que la lleve a donde doña Ceci; quiere entregarle la llave de la casa de Albertico, por si la necesitan para entrar.

Que no los vayan a maltratar, Padre eterno divino.

Con tanto cadáver desfigurado que ahora tiran en cualquier lado. No debe ni pensarlo.

Mirá el reloj en lo alto del edificio del Banco Salvadoreño: faltan cinco minutos para las diez de la mañana. Bien se lo advirtió Belka, que Albertico podía tener problemas. Pobrecito. Desde que don Betío se lo llevó a Costa Rica, ocho años atrás, no regresaba al país. Y sólo vino para que le suceda esto.

Tomará el primer autobús que aparezca; cualquier ruta en esa dirección la acerca a la casa de doña Ceci.

Observa a un grupo de tipos sospechosos en la esquina del McDonald's. Hace una semana quisieron darle fuego a ese restaurante; los subversivos trataron de entrar con los cocteles Molotov y se armó la balacera. Mejor estar atenta.

Y la pobre Brita, tan inocente, tan hermosa. ¿Qué le estarán haciendo esos bárbaros, Dios mío? Ojalá la respeten, como es extranjera. Pero ya nadie está a salvo. Siente un escalofrío.

El sol golpea con fuerza; se protege en el toldo de la parada de autobuses.

Ese gordo maldito... ¡Claro! Ahora lo recuerda. No fue en la época de don Pericles, sino como unos dos años después de que éste se suicidara, cuando lo vio. Precisamente ella iba de visita hacia donde doña Cecilia, y cuando cruzaba la calle, frente al mercado San Miguelito, desde un jeep que esperaba la luz verde, alguien le dijo: «Adiós, niña María Elena». Ella se sorprendió. Volteó a ver: era el Vikingo, ¡y quien manejaba el jeep era ese gordo!

¡El Vikingo debe de saber dónde está Albertico!

Es un impulso contundente, como un flashazo. Sabe lo que tiene que hacer.

Sale con andar agitado de la parada de buses. Cruza la calle. Pasa a un costado del Teatro Nacional. Avanza con paso rápido, seguro, como si alguien la llevara de la mano, con rumbo hacia el parque Libertad.

Desde entonces no ha visto al Vikingo, desde esa vez cuando ella le devolvió el saludo. ¿Aún estará vivo?

Atraviesa en diagonal el parque Libertad, en medio de vagos, borrachos, predicadores. El esqueleto achicharrado de un autobús permanece frente a la iglesia El Rosario; restos de una barricada de neumáticos están dispersos en la esquina del almacén Omnisport. El aire aún apesta a quemado.

El refuego de la noche anterior estuvo mucho más nutrido de lo que ella imaginaba.

Pasa frente al cine Libertad; también hay restos de barricadas. Se siente ligera, pero firme, sin miedo, como inspirada.

Una cuadra más adelante se encuentra con el primer retén de policías. Le marcan el alto, le exigen que se identifique, le revisan el pequeño bolso de mano donde apenas cabría una pistola; le preguntan qué quiere, adónde va, a quién busca.

–Voy con el Vikingo –dice, con aplomo, como si fuera lo más natural, como si viniera con frecuencia y ellos estuvieran obligados a reconocerla, aunque no sepa si el Vikingo aún trabaja en el Palacio Negro, ni siquiera si aún está vivo.

La dejan pasar; un agente la ve de reojo y hace un comentario burlón sobre las viejas del Vikingo.

Ella se siente empujada por una fuerza desconocida, con la certeza de que el Vikingo está allá adentro, de que cada uno de los agentes conoce a ese viejo detective, famoso por su pasado de luchador profesional; está segura de que él podrá ayudarla a conseguir información sobre Albertico y Brita.

Avanza frente a la fachada del Palacio Negro. Antes había circulación de autos y peatones en esa calle; ahora sólo policías, tensos, como si pronto fueran a ser atacados.

La primera vez que ella entró al Palacio fue hace como treinta y cinco años; acompañaba a doña Haydée, quien le traía unos medicamentos a don Pericles, entonces preso.

Sube la escalinata y pasa al vestíbulo. Grupos de uniformados entran y salen, algunos civiles esperan; el ruido es intenso: órdenes a gritos, carreras, el zumbido de los radiotransmisores.

Un tipo mal encarado está sentado tras el escritorio de «Información».

Ella le dice que viene a ver al Vikingo, que si lo puede llamar por favor.

–¿Quién lo busca? –masculla el tipo.

–La niña María Elena, dígale.

–Hey, vos, Ejote, andá a ver si está el Vikingo allá abajo –le ordena a un muchacho larguirucho.

Ella saca un pequeño pañuelo de su bolso para secarse el sudor del rostro y del cuello. Por suerte aquí hace menos calor que en la calle, por la sombra y el alto techo.

—¿De dónde conoce usted al Vikingo? —la interroga el tipo.

—Desde que usted era niño.

Por Dios, que no vaya a seguir con la preguntadera. Trata de recordar el nombre del Vikingo, si alguna vez lo supo; el Vikingo se llama Vikingo, desde siempre tuvo que haberse llamado Vikingo, se dice a sí misma. Y entonces recuerda que sí, que una vez le preguntó por su verdadero nombre y éste le respondió, haciendo guasa, que ya no se acordaba.

El tipo mal encarado le ordena:

—Hágase a un lado, ya va a venir.

Observa las escaleras: las que conducen a la planta alta son anchas y están iluminadas; las que conducen a los sótanos parecen una boca oscura. ¿Y si Albertico y Brita estuvieran aquí, Dios mío?

El larguirucho regresa y le reporta al mal encarado: el Vikingo no está, hoy no ha venido a trabajar, anoche se sintió muy mal, hubo que llevarlo a su casa, es lo que dice el Chicharrón.

—¿Y qué es lo que tiene? —pregunta ella, casi con tormento.

—Qué es lo que no tiene... —dice el mal encarado, con sorna—. No tiene estómago, ni tripas. Apesta a pudrición. No sé cómo está vivo todavía. Seguro que de ésta no regresa.

El larguirucho sonríe.

—¿Y dónde vivirá ahora? —pregunta ella.

—Yo no sabía que tuviera casa ese cabrón —dice el mal encarado, dirigiéndose al larguirucho, como si ella no estuviera—. Si aquí pasa metido siempre, día y noche, contando las mismas historias de cuando era luchador, ya aburre, si hasta parece parte del mobiliario...

—Me urge verlo —ruega ella—. Hágame el favor de conseguirme su dirección.

El larguirucho ha vuelto a su silla, a leer el periódico, despatarrado.

—¿Y qué es la urgencia? —le pregunta el mal encarado.

—Cosas familiares —masculla, como avergonzada.

—Ahora resulta que el Vikingo tiene familia —dice el tipo, jocoso, volteando a ver al larguirucho, que no le presta atención, atento al periódico.

—¡Ejote —grita—, andá preguntale al Chicharrón adónde fue a tirar al Vikingo anoche! Y usted hágase a un lado —le ordena a ella, con enfado—, despéjeme el escritorio.

Ella espera, arrimada a la pared; no quita la vista de la boca oscura de las escaleras. Entonces la idea cruza su mente en una fracción de segundo, sin detenerse, escapando entre el ajetreo: ¿y si el tal Chicharrón es el gordo del jeep?

Cuando regresa, el larguirucho le espeta al mal encarado: que deje de joder, le manda a decir el Chicharrón, que está muy ocupado, ya va de salida.

El tipo se dispone a responderle un insulto, pero en vez de ello, se da la vuelta hacia ella con las cejas alzadas y un gesto de resignación, y le dice:

–Ya oyó, no hay dirección, y vaya saliendo de aquí, despéjeme la zona.

Ella quisiera pedir que consulten en el departamento de personal, que con seguridad ahí habrá una ficha con la dirección del Vikingo. Pero más bien enfila hacia la salida.

–Quizá en el comedor de la gorda Rita le puedan informar algo –le dice el larguirucho mientras vuelve a su silla–. Vaya a la derecha, una cuadra adelante, ahí lo va encontrar.

Sale a la calle sin el vigor con el que entró al Palacio. Pobre Vikingo, así que se está muriendo. Ya debe de tener sesenta y cinco años. Claro, era unos cinco años mayor que ella.

Camina en la dirección que le indicó el larguirucho; el sol le pega de frente.

Nada pierde. A veces en los comedores es donde más saben sobre la gente. Así sucedía cuando el Vikingo vigilaba a don Pericles, en la colonia La Rábida: si no estaba en los alrededores de la casa, fumando un cigarrillo, se le encontraba en el comedor de la esquina, bebiendo una gaseosa, conversando con Matilde, la dueña.

Odia caminar en esta parte de la ciudad: no hay árboles ni aleros que protejan del solazo. Por suerte, gracias a la curita, la nueva sandalia ya no le molesta el carcañal.

Debe ir atenta. En esta manzana tiene que estar el comedor.

Entra al salón, pasa entre las mesas vacías, hacia el mostrador.

La chica mira con la boca abierta el televisor empotrado en la alacena.

–¡Mamá, la buscan! –grita la chica hacia la cocina.

La mujer gorda aparece secándose las manos en el delantal.

–¿La señora Rita? –pregunta.

–Ajá, en qué puedo servirla –dice la gorda Rita. Y enseguida le ordena a la chica que vaya a remover la salsa que está en la cacerola.

Le dice que se llama María Elena, que anda buscando al Vikingo, que le urge hablar con él, que sabe que está muy enfermo.

–Pregunte en el cuartel, ahí ha de estar –le dice la gorda, con suspicacia.

–No, no está ahí. Anoche se puso mal y lo llevaron a su casa. Y hoy no se ha presentado. Pero no me pudieron dar su dirección. Me dijeron que tal vez usted podía ayudarme.

–¡Se jodió el Vikingo! –exclama la gorda casi con regocijo–. Yo se lo advertí, ayer a mediodía, ahí en esa misma mesa, que se va a morir si no va al hospital. ¡Qué necio es ese hombre! Si ya se le ve la calavera en la cara. Y aun así no deja de fumar, ni de tomar café, ni de beber cerveza. Cree que con el caldo de pollo se compondrá.

–Pero no se lo llevaron al hospital sino a su casa, según me dijeron en el cuartel –explica ella.

–Se va a morir –dice la gorda, tomándose las manos a la altura del pecho, como si orara, con un gesto de resignación.

–¿Usted sabe dónde vive?

–¿Y yo por qué voy a saber? –dice la gorda, cambiando súbitamente de ánimo, con recelo–. Aquí sólo viene a almorzar y a molestar a la Marilú. Y me debe las comidas de la última semana.

Entonces un jeep se detiene bruscamente frente a la puerta del comedor, idéntico al que vio estacionado en la esquina de la casa de Albertico. A María Elena se le afloja el cuerpo.

–Es el Chicharrón –exclama la gorda, caminando deprisa hacia la puerta–. Venga, él debe saber.

4

Ella va en el asiento del copiloto. Conduce el Chicharrón, como loco, agresivo, sin respetar a nadie. Es gordo, pero prieto; nada que ver con el que estaba vigilando la casa de Albertico.

–¿Usted es la que quiere ver al Vikingo? –le había preguntado desde el jeep, cuando ella asomó a la puerta del comedor–. Súbase –le ordenó.

Y ella se acomodó en el asiento, sin salir del asombro, viendo de reojo la pistola entre los muslos del hombre.

La gorda Rita le pidió al Chicharrón que antes de regresar al cuartel pase por el comedor, para contarle cómo se encuentra el Vikingo.

—¿Queda muy lejos? —pregunta ella, aferrada al pescante, que esos jeeps descapotables carecen de puerta y teme que en una maniobra pueda salir por los aires.

—Ahí nomás —dice el Chicharrón, acosando a los coches que estorban su paso.

Qué feo es este hombre, padre eterno bendito: los cachetes y la papada colgante; la tez prieta y cebosa, picada por la viruela; los labios abultados, rugosos, partidos; la nariz de cerdo, con los grandes orificios, y la barrigota.

Hablan casi a los gritos, porque los acelerones del Chicharrón sacan bramidos al motor.

Ella observa el cristal astillado con tres agujeros de bala.

—¿Qué es usted del Vikingo? —le pregunta el Chicharrón mientras da un giro hacia el puente que conduce al barrio La Vega.

—Nada. Amiga.

Explica que lo conoció unos diez años atrás, en la colonia La Rábida, donde él realizaba labores de vigilancia y ella era empleada en esa misma zona, y que ahora se ha enterado de que está muy mal de salud; no le dice que alguna vez la cortejó.

—¿Nunca le habló de mí, de María Elena? —se atreve.

El Chicharrón niega, con un movimiento de cabeza, sin dejar de mirar al frente. Y luego le dice que en esa época él no era detective, que él ingresó al cuerpo cinco años atrás.

—Es usted aún joven –dice ella.

—Debe convencerlo de que vaya al hospital –dice el Chicharrón–. Si no, se morirá tirado en ese cuartucho y ni cuenta nos daremos...

—¿Tan mal está?

—Peor de lo que parece. Ya vomita la pura pudrición.

Ella da gracias de llevar el pelo agarrado con la cola de caballo; con semejante ventolera, sus mechones irían todos revueltos.

—¿Y por qué no quiere ir al hospital?

—Quién sabe. Necedad, digo yo –contesta el Chicharrón.

Pobre Vikingo, ya le llegó la hora; tiene que ayudarla, averiguar dónde están Albertico y Brita, aunque sea desde la cama de un hospital ella sabe que le puede dar información precisa para encontrarlos; al fin se trata del nieto de don Pericles, y el Vikingo le tenía un gran respeto a don Pericles, siempre se lo dijo y a ella le consta.

—Me dijeron que ya ni sale, que sólo pasa encerrado en el cuartel, como si ahí viviera.

Ella va atenta a las calles, para no perderse, para saber llegar por sí sola a la casa del Vikingo.

—Tiene un catre donde duerme en el sótano –explica el Chicharrón–. Pero anoche el capitán lo vio tan mal que me ordenó que lo llevara al hospital o a otro lado, que lo sacara de ahí, que los enfermos terminales desmoralizan a la tropa.

Frena brusca, aparatosamente, con chillón de llantas. María Elena casi pega un cabezazo en el parabrisas.

–¡Hijo de puta! –grita el Chicharrón, tocando la bocina con escándalo.

El motor del jeep se ha apagado por el frenazo.

El Chicharrón salta a la calle, colérico, blandiendo la pistola.

Dios mío.

Y se dirige amenazante hacia el auto de adelante, que se detuvo sin aviso ante la inminente luz roja del semáforo.

Pero el conductor lo ha visto acercarse a través del espejo retrovisor y arranca a toda prisa.

El Chicharrón regresa al jeep, hecho un energúmeno, con la mueca feroz.

Ella siente el impulso de bajarse, de salir de ahí antes de que otra cosa suceda; pero el miedo la paraliza. Y entonces voltea hacia atrás: sufre un picotazo en el corazón, como si una presencia le hablara desde la parte trasera del jeep.

–Ahí se acurrucó ayer en la tarde el Vikingo, cuando los subversivos nos emboscaron en la calle Arce –dice el Chicharrón, dándose la vuelta para mirar él también hacia el suelo trasero, mientras trata de encender el motor, que tose, ahogado, sin responder–. ¡Ya se ahogó esta mierda!

–¿Los emboscaron? –balbucea ella.

Por fin el motor responde.

El Chicharrón le señala los orificios en el parabrisas, las manchas de sangre en el asiento, en el suelo, cerca de la palanca de velocidades.

–Hirieron a Altamirano en el brazo –dice y el jeep

arranca, corcoveando–. Lo llevamos al hospital; nada grave. Después fue que se puso mal el Vikingo: comenzó a vomitar la pura sangre podrida. Yo quise regresar al hospital para ingresarlo, pero no hubo manera. Es un viejo necio ese hijo de puta.

Hombre más vulgar, Dios mío.

–Debemos encontrar una manera de convencerlo para que se interne –dice ella.

Recorren otras cinco manzanas, raudos. De súbito, el Chicharrón da un giro brusco al volante y se clava en la acera.

–Yo ya me di por vencido –dice, sin apagar el motor, tomando la pistola, observando con desconfianza los alrededores, alerta.

Ella se recupera del volantazo.

–Y de todas formas él tiene razón, para morirse, donde sea es lo mismo –agrega el Chicharrón, antes de apagar el motor y saltar a la acera.

–Pero usted qué sabe, tal vez pueden salvarlo. ¿Aquí es?

Apesta el aire por la cercanía del río, infectado por las aguas negras de la ciudad.

–Qué mal olor –dice ella, luego de salir del jeep, mientras busca su pañuelito en el bolso.

El Chicharrón ha empujado el portón desvencijado del mesón. Y la urge de mal modo:

–Apúrese, no se nos vaya a haber muerto el cabrón.

Es tan malcriado este infeliz. Ella recuerda que el Vikingo era educado, sin esta grosería.

Son dos hileras de habitaciones, seis de cada lado,

frente a frente, separadas por un corredor destechado en el medio. Las paredes mugrosas, descascaradas; el corredor sucio, con desperdicios y basura, mohoso, como si nadie lo hubiera barrido en meses. Y el aire, más hediondo.

Si Belka supiera hasta dónde ha venido a dar su madre, en la que se ha metido, la pobre se horrorizaría.

El Chicharrón se detiene frente a la tercera puerta del lado derecho; no deja de otear, con la mano presta en la cintura, cerca de la pistola, como si temiera que alguien se le tirara encima en cualquier momento.

–¡Vikingo! –exclama y golpea con sus nudillos la puerta–. Soy yo, el Chicharrón.

No se oye ningún movimiento en el interior.

Ella tiene que encontrar la forma de quedarse a solas con el Vikingo, para pedirle el favor de que averigüe sobre Albertico; con este patán rondando, sería imprudente.

La habitación cuenta con una pequeña ventana, casi un respiradero, con barrotes de hierro por fuera y celosías de madera por dentro; el Chicharrón trata de ver a través de ella.

–¡Vikingo! –vuelve a llamar.

Entonces oyen el clic del cerrojo.

–Qué escándalo... –dice una voz desde adentro.

A ella le cuesta reconocer la voz del Vikingo: ahora es mucho más ronca, gangosa.

El Chicharrón empuja la puerta y entra a la penumbra.

—¡Puta, aquí apesta a muerto, Vikingo! —exclama, se echa un paso atrás y escupe en el piso.

Ella permanece en el corredor; percibe la fetidez y se cubre con su pañuelito la nariz.

—Nada más quería saber si no te has muerto —dice el Chicharrón—. Yo creo que el capitán te va a dar de baja.

—No jodás —masculla el Vikingo—. Decile que me deje descansar hoy y que me presentaré mañana.

—Si te vieras la cara... Ah, y te traigo una visita.

Ella se asoma con timidez por el umbral.

—Buenos días —dice, sin despegarse del todo el pañuelo de la nariz.

Distingue en medio de la penumbra al hombre tirado sobre un colchón, vestido, descalzo, con la pistola sujeta sobre el regazo, los mechones canosos revueltos, el rostro descompuesto, cadavérico, enfebrecido.

A él le lleva un par de segundos reconocerla.

—¡Niña María Elena, qué hace usted aquí! —exclama.

5

El Chicharrón ha partido; dijo que trataría de regresar hacia el final de la tarde, que ojalá ella convenza a ese necio de internarse en el hospital, y dejó la puerta abierta. Para que se oree, dijo.

En la pequeña habitación no hay más que el colchón, una cómoda, varias cajas de cartón desparramadas, una silla de madera detrás de la puerta con una pila de periódicos viejos, la ropa sucia desperdigada y el piso emporcado.

Ella ha quitado los periódicos para sentarse en la silla.

El Vikingo la ha mirado fijamente por unos segundos, pero enseguida sufre un retortijón; se ovilla, con las manos en el estómago, jadeando.

Ella se pone de pie, alarmada, y le pregunta si le puede ayudar en algo, si necesita agua o que le vaya a comprar algún medicamento.

Él niega con un movimiento de cabeza. Y le dice que vuelva a tomar asiento, que ya le pasará.

De veras que este hombre se está muriendo, por Dios.

Poco a poco se va relajando. Estira el brazo hacia el piso para tomar un vaso con agua; bebe un sorbo, con lentitud, como si temiera la contracción inminente.

Ella distingue del otro lado del colchón, también en el piso, un balde de plástico, en el que seguramente vomita y de donde procede la pestilencia.

–Usted está muy mal, Vikingo –murmura ella–. No debería tardarse más en ir al hospital.

Él coloca de nuevo el vaso en el piso; se incorpora un poco en el colchón.

–Se le ve muy bien conservada, niña María Elena –logra balbucear, observándola, con la mirada turbia, luego de secarse la boca con el dorso de la mano.

—Gracias —dice ella, sin sonrojo. Pero de inmediato insiste en el tema—: ¿Por qué se niega a que lo revise un médico?

El Vikingo parece abstraído:

—¿Hace cuánto tiempo que no la veía?

—Uy... Como siete años. Desde después de la muerte de don Pericles, ¿se acuerda? Usted iba en un jeep allá por el mercado San Miguelito.

Se corta de súbito: la imagen del gordo, Albertico, el escalofrío.

—Claro —mascula el Vikingo. Se mueve hacia el otro lado del colchón: escupe en el balde—. ¿Y qué la trae por aquí, niña María Elena? —le pregunta, con la voz cansada y un dejo de desconfianza.

Ella ya se ha acostumbrado a la penumbra. No es el envejecimiento ni lo cadavérico en el rostro: algo ha cambiado en él, como si hubiera otro en la mirada.

—Tengo un problema, Vikingo, y se me ocurrió que usted podía ayudarme —dice sin quitarle la vista de encima—. Fui a buscarlo al cuartel, pero me dijeron que estaba muy enfermo. Los de información no saben dónde vive usted. Me recomendaron que preguntara en el comedor de la señora Rita. Entonces apareció su compañero, que venía para acá, y me permitió acompañarlo.

—El Chicharrón y la gorda están empecinados en que me meta al hospital —mascula el Vikingo, con desprecio—, y ya le pegaron a usted esa necedad. Pero me voy a morir aquí o en la calle o en el cuartel, pero no en un hospital.

—No se va a morir —dice ella—. Nada más tiene que ir con el médico a que lo revise para que le dé los medicamentos adecuados.

—Parece mentira, niña María Elena, que usted se haga la que no entiende. ¿No recuerda a don Pericles? Uno se da cuenta cuando la muerte ya viene tocando...

—Pero don Pericles estaba seguro de que tenía cáncer, de que no tenía salvación, los mismos médicos se lo habían dicho —argumenta ella, con convicción.

El Vikingo se ha incorporado en el colchón, con la espalda apoyada en la pared; saca el paquete de cigarrillos del bolsillo de su camisa, se pone uno en la comisura de la boca y palpa debajo de la almohada en busca de los cerillos.

—¿Ya se siente mejor? —pregunta ella.

Enciende el cigarrillo.

—Sabe que en los últimos días he pensado en don Pericles... Tenía huevos el hombre. No es tan fácil matarse.

—Ni se le ocurra pensarlo —exclama ella—. Eso va contra Dios.

—Dios... —masculla él mientras expele el humo lentamente. Se pasa la mano por la cabeza para tratar de arreglarse los cabellos—. No es nada fácil. Me gustaría tener el valor que tuvo don Pericles —dice.

Luego toma la pistola, apoya el cañón en su sien y exclama:

—Pum, y se acaba todo.

Ella ha contenido el aliento. Y enseguida pregunta, consternada:

–¿Lo ha intentado?

El Vikingo coloca la pistola entre sus muslos.

–Cuénteme cuál es el problema que la trae por acá.

–Se llevaron al nieto de don Pericles –gime ella y aprieta el pañuelo entre las manos.

–¿Al nieto de don Pericles?

–Sí, a Albertico y a su mujer. Yo sé que usted puede ayudarme a averiguar dónde los tienen...

–Uy, niña María Elena, hoy sí que me la puso difícil. ¿Y quién se los llevó?

–Unos hombres armados, ayer en la tarde.

–Ahora se llevan a tanta gente todos los días –dice con la voz apagada, como si de pronto lo hubiera abandonado el poquito de energía que le quedaba.

–Pero usted puede averiguar ahí en el cuartel –ruega ella–. Yo recuerdo cómo usted se enteraba de todo en la época de don Pericles.

El Vikingo tira la colilla al piso, del lado de la ventana, donde se amontonan los puchos.

–Me va a tener que perdonar, niña María Elena –dice mientras trata de ponerse de pie, con dificultad–. Pero necesito ir al servicio.

Ella se levanta, solícita; le pregunta si quiere que lo ayude, que lo acompañe.

–Por favor, usted quédese tranquila en su silla –dice el Vikingo.

Sale de la habitación, con el rostro descompuesto y la pistola en la cintura; enfila hacia el fondo del corredor, tambaleándose, como si de un momento a otro fuera a desplomarse.

Ella permanece en el umbral, observándolo, protegiéndose de la resolana con la mano como visera.

Padre eterno divino, este hombre ya no podrá volver al cuartel. Está acabado.

Oye la tos convulsa, desgarrada, incontrolable, que procede de los sanitarios. ¿Y si se le ocurre pegarse un tiro ahora mismo? No debe pensar semejante cosa. ¿Será conveniente decirle que ella vio al gordo zarco en el jeep estacionado en la esquina? Tiene que encontrar la manera de planteárselo, para que tenga una pista.

Un hombre fornido, con el aspecto de un levantador de pesas, sale de la habitación de enfrente. La ve de reojo. Echa llave a la puerta y se encamina a la salida, sin alzar la vista.

Ella entra a la habitación; aprovechará para poner un poco de orden. Echa una ojeada rápida: constata que no hay escoba ni implemento de limpieza alguno. Abre la ventana y la celosía para que entre más aire y luz. Se abstiene de ver dentro del balde. Recoge las prendas tiradas sobre el colchón, el piso y las cajas; las coloca sobre la cómoda.

Entonces oye nítidamente el eco de las arcadas.

Se queda quieta, escuchando.

Las arcadas del Vikingo no cesan.

¿Y si se le ha reventado una úlcera y se está desangrando?

Se persigna.

Sale al corredor; camina hacia los sanitarios, pero se detiene ante la puerta cerrada, el hedor, la posibilidad de que el Vikingo se moleste por su intromisión.

Las arcadas persisten, aunque más espaciadas.

Luego apenas percibe el jadeo.

Toca la puerta, suavemente. Y murmura:

–Vikingo, ¿está bien?, ¿necesita ayuda?

Cuesta que él responda, mascullando con dificultad, como si estuviera borracho:

–Le dije que se quedara en la habitación... –Y sus palabras se apagan bajo el ruido del agua del inodoro.

Este hombre quiere morirse, y quiere morirse sufriendo.

Abre la puerta; se ha humedecido el rostro. Apenas logra sostenerse.

Ella se acerca, para servirle de apoyo. Él le echa el brazo izquierdo sobre los hombros, y luego avanza por el corredor, bamboleándose, con la pistola colgando de su mano derecha.

Se deja caer en el colchón, hecho un guiñapo.

–¿Quiere que llame a una ambulancia o a su amigo, al que le dice Chicharrón? –insiste ella. Tiene que haber un teléfono público ahí cerca.

–Tranquila –musita.

–No, Vikingo. Se va a morir desangrado.

–Tranquila, le digo. Ya pasará.

Ella vuelve a sentarse en la silla.

El Vikingo disminuye el resuello; empieza a recuperarse. Enseguida toma el vaso con agua, bebe un buche, se enjuaga y luego escupe en el balde.

–Se va a terminar haciendo daño con esa pistola, no la suelta para nada –comenta ella, señalando el arma que yace como pegada a la mano del Vikingo sobre el colchón–. Aquí nadie le va a venir a hacer nada.

–Se equivoca, niña María Elena. Le digo que las cosas han cambiado. Usted no tiene idea. En la época de don Pericles, los comunistas eran gente decente, honrada, pacífica. Ahora todo se pudrió: la subversión está por todas partes, matando; son montones. Los curas y la guerrilla arruinaron este país. Nadie se puede confiar. Se enteró de lo que pasó ayer: la agresión de la marabunta. A nosotros nos emboscaron, casi nos cazan...

–Uy, sí –dice ella–. Me contó su amigo.

–Ya ve.

–A su edad, ya no debería arriesgarse. ¿Y su familia?

El Vikingo sonríe.

–Todas las mujeres son iguales –dice, con un asomo de sarcasmo–. Es como si estuviera hablando con la gorda Rita.

Ella se remueve en la silla, indignada.

Este hombre no sólo ha perdido la salud, sino también la poca educación. Pero ella no debe distraerse: siente como si Albertico la hubiera llamado con apremio.

–Pero volviendo a lo del favor que le estoy pidiendo –dice–. Ayúdeme a averiguar algo, no sea malito. Él se llama Alberto Aragón, igual que su padre, y era el nieto favorito de don Pericles...

—Le repito, niña María Elena, ahora uno no se entera como se enteraba antes. Son montones los capturados diariamente en la guardia, en la policía, en los cuarteles del ejército, de la fuerza aérea, de la artillería. Ya nadie sabe nada. Es como estar en una inmensa fábrica; no se da abasto. Esto sin contar a la cantidad que se lleva la guerrilla...

—Pero ellos son gente bien. Es más fácil distinguirlos...

—Ahora ya no hay gente bien —murmura el Vikingo, cerrando los ojos, como si quisiera terminar con el tema.

—Usted lo tiene que haber conocido —insiste ella—. Llegaba donde don Pericles con frecuencia. Un flaquito, alto. Luego, a principios de 1972, se fue con su familia para Costa Rica.

—Mi memoria tampoco es la misma... —Y entonces, con una sonrisa torcida, el Vikingo le pregunta—: Dígame, aquí entre nos, niña María Elena, ¿y usted por qué nunca quiso conmigo?

Ella se revuelve en su silla; cruza la pierna. Sonríe. Y después de un breve silencio, sentencia:

—Todos los hombres son iguales: nunca se resignan.

—Pero dígame la verdad...

—Siempre le dije la verdad. Ya éramos viejos, Vikingo. Un poco menos que ahora, pero ya demasiado viejos. No me gusta hacer el ridículo.

—¿Sabe? En esa época yo pregunté mucho sobre usted, sobre su vida.

Dios mío, qué pretende este hombre.

–No hay mucho que averiguar sobre mi vida –dice.

–Lo que me sorprendió es que nadie le haya conocido jamás un novio, una pareja –dice el Vikingo mientras se limpia con el dorso de la mano el hilo de saliva que bajaba por la comisura.

Ella se pone de pie, ansiosa; no vino a hablar sobre su vida privada, sino a pedirle que le ayude a encontrar a Albertico y a Brita.

–Siéntese –le pide el Vikingo, con un murmullo, de nuevo agitado–. ¿No se va a ir ahorita?

Parece que este hombre está agonizando. Eso es: está agonizando. ¡Padre eterno divino!

Ella se acerca al pie del colchón y le ruega:

–Vikingo, usted se está muriendo. Debería ayudarme a buscar a Albertico, como un último gesto ante Dios.

–Nunca averigüé, por ejemplo, quién era el padre de su hija –murmura él–. Belka se llamaba, ¿verdad?

Ella se sorprende. La contracción le frunce el rostro: ¿Qué busca este bruto?

–Usted lo que quería era hacerle mal a Belka –dice, molesta–. Usted es de los hombres que quieren con todas.

–Todos los hombres queremos con todas, niña María Elena –musita–. Así es el mundo.

Parece que el agotamiento lo está venciendo, que se quedará dormido de un momento a otro, y ella no logrará su propósito, porque en tales condiciones este hombre no podrá regresar al cuartel.

–Hubiera tenido que ir a su pueblo, quizá, para

enterarme de quién le hizo el daño –insiste el Vikingo–. Allá en las faldas del volcán de Santa Ana está su pueblo, ¿verdad? ¿Tejapán?

Ella ha vuelto a tomar asiento. Ha recuperado el control; no se dejará distraer.

–Ya ve que sí tiene buena memoria, Vikingo.

–¿Quién fue? –pregunta, gutural.

–Yo era muy joven cuando me hicieron el daño –dice ella–. Me prometí que nunca más volvería a sucederme. Y cumplí mi promesa. Ya no pienso en ello ni me gusta hablar de ello –agrega, terminante, para zanjar. Pero enseguida vuelve al tono de ruego–: Si usted hoy no puede ir al cuartel, tal vez su amigo, don Chicharrón, logre averiguar algo.

El Vikingo cabecea.

–Don Chicharrón... –masculla, con un rictus de burla. Luego recuerda–: Ese muchacho es el hijo del que se tuvo que ir para Costa Rica luego de que fracasó aquel golpe de Estado, ¿verdad?

–Toda la familia se fue. Albertico también. Allá estudió.

–Y entonces, ¿qué hacía aquí?

–Acababa de regresar con su esposa, recién alquiló una casita para instalarse. Esta mañana yo llegué a hacerles por primera vez el aseo, pero no estaban. Una muchacha de la zona me dijo que ayer unos hombres armados se los llevaron por la fuerza en dos jeeps.

El Vikingo ha cerrado los ojos, como si estuviera a punto de comenzar a roncar.

—Es fácil reconocerlos —dice ella—. Brita es de Dinamarca: una mujerzota alta, rubia, guapa, bien dulce y buena gente.

—¿Parecen gringos? —musita el Vikingo, sin abrir los ojos.

—Sólo ella —aclara, con énfasis, para que a este moribundo no se le olvide la descripción—. Albertico es trigueño, pero también alto y flaco, con el peinado afro y anteojos.

—El afro... —silba, entre dientes, como quien ya ha caído en el sueño.

—¡Vikingo!... ¡Vikingo!...

Comprueba que el hombre aún respira; un hilo de baba se desliza por su mejilla. Alza la mirada al techo, se persigna, sale al corredor y jala la puerta tras de sí.

6

Fue un milagro que el mesón donde el Vikingo agoniza quedara a una calle de la cuesta de La Vega, donde ella pudo abordar un bus de la ruta 1, en el que ahora se conduce. No necesitará transbordar a otro bus para llegar a casa de doña Cecilia. Va sentada en la segunda fila, detrás del conductor, del lado de la ventanilla.

Ruega a Dios que el Vikingo se reponga. Ella regresará, hacia el final de la tarde, para insistirle que por favor la ayude a encontrar a Albertico y Brita.

El bus se detiene en la parada de la plaza Morazán.

Por segunda vez en la mañana ella se fija en el reloj del Banco Salvadoreño: ahora marca las 11:20. El tiempo pasa volando.

Le dejará las llaves de Albertico a doña Ceci; de paso se enterará de las novedades y también comerá algo mientras conversa con su prima Ana.

Cómo se arruina la gente, caramba. Hace siete años, el Vikingo era un hombre presentable; ahora es otro, muy distinto. No se trata del paso de los años, sino de algo más feo.

El bus va medio vacío: unos jóvenes con aspecto de estudiantes pasaron hacia los asientos traseros.

¿Le contará a doña Ceci sobre su visita al Vikingo?

El bus avanza por la Segunda Avenida.

Frente al diario *El Mundo* se arremolinan los canillitas: la edición del vespertino acaba de salir de las prensas.

Qué feo sintió cuando el Vikingo le confesó que la había estado investigando. Dios mío, es como si un ladrón hubiera intentado metérsele en el alma. Siente remordimiento por haber reconocido frente a ese hombre sucio el daño que sufrió cuando ella era una jovencita, el daño gracias al que nació Belka. No quiere pensar en ello.

El bus se detiene ante la luz roja, a un costado del edificio de la Lotería Nacional. A través de la ventanilla, lee el titular del diario vespertino que el canillita le ofrece: LIBERAN A CABECILLAS SUBVERSIVOS, dice.

Y en letras más pequeñas: «Gobierno decide dejarlos en libertad para acabar con los disturbios».

Ella siente que el corazón le da un vuelco de alegría. Dios quiera que hayan liberado a Albertico y Brita. Tiene el impulso de comprar el diario, pero en ese instante el bus arranca. Se enterará en casa de doña Ceci.

Ojalá que Dios haya escuchado sus ruegos, que los muchachos ya estén de regreso con los suyos, que no los hayan maltratado. Es una dicha: no tendrá que regresar con el Vikingo.

Pobre don Betío, lo vio tan angustiado esta mañana; y a la misma doña Cecilia se le notaban las grietas de temor en su ronca voz de anciana. Ahora ambos habrán vuelto a la tranquilidad.

Albertico y Brita deberían irse del país, regresar a Costa Rica, y don Betío también. Esta situación tan horrible no es para ellos. Es imprudente tentar al Diablo, y con la mala suerte de esa familia: primero el cáncer de doña Haydée, luego el asesinato de don Clemen, el hermano de don Betío, y después el suicidio de don Pericles... Mejor que los muchachos se vayan del país, aunque ella pierda ese ingreso.

Se fija en la tonsura, casi un círculo perfecto, del pasajero que va delante de ella.

El bus avanza raudo; el viento se cuela por la ventanilla. Le gusta que el aire golpee su rostro, que la refresque.

Grupos de jóvenes permanecen apostados frente a la iglesia San José; uno de ellos porta un megáfono, otros reparten volantes entre los transeúntes. Ella recuerda que campesinos procedentes de San Vicente mantienen tomado el templo desde hace una semana; monseñor Romero lo comentó en su homilía del domingo. Una manta rectangular, colgada de la barda de la iglesia, reza: ¡ALTO A LAS MASACRES!

A Belka no le hace gracia que ella escuche las homilías de monseñor en la radio, dice que los curas no deben meterse en política. Pero Belka es tan insensible a veces, como si no fuese su hija.

En la siguiente parada, una vendedora ambulante, gorda y sudorosa, sube al bus con un canasto repleto de verduras. Se acomoda junto a María Elena; deja el canasto en el pasillo. El conductor le dice, de mala manera, que se lleve el canasto hacia la parte trasera del bus. La vendedora le replica que pronto bajará. El conductor farfulla, molesto, pero pone la marcha.

El bus toma velocidad. La ventolera y el bramido del motor se llevan lo que la vendedora masculla. María Elena se reasegura su cabellera con la cola de caballo. Entonces, de súbito, el armatoste traquetea: el conductor ha frenado y luego gira hacia la derecha, enrumba hacia una calle lateral.

Todo sucede en cuestión de segundos.

Ella ha visto la barricada de neumáticos que arden en la Segunda Avenida, los jóvenes con el rostro embozado en pañuelos y con las pistolas al aire. Uno de los jóvenes ha lanzado un coctel Molotov contra un auto que arde en el acto.

¡Dios santo! No puede ser, no lo puede creer...

El bus se ha detenido completamente. Entonces se percata de que los jóvenes que venían en los asientos traseros también se han embozado, tienen encañonado al conductor y exigen a los pasajeros que desocupen de inmediato el bus.

Ella voltea de nuevo hacia donde ha creído reconocer a Joselito, pese a la cachucha de beisbolista y al pañuelo que le cubre el rostro, pero éste se ha perdido entre el contingente que se parapeta tras la barricada.

Tiene que salir del bus, antes de que le den fuego. La vendedora de verduras vocifera, tratando de proteger su canasto, entre los pasajeros que se abalanzan aterrorizados hacia la puerta delantera.

–¡Apúrese, señora! –le grita uno de los jóvenes embozados.

Ella logra salir del bus, atarantada. Se pregunta si debe acercarse a la barricada, para constatar si en verdad es a Joselito a quien ha visto.

Pero en eso se oyen disparos, una ráfaga, un grito que la conmina a alejarse del bus. Se apresura hacia la acera detrás de los demás pasajeros. Y cuando voltea hacia atrás, ve la llamarada.

El pasajero de la tonsura les advierte que se den prisa. Entonces, en un segundo, con un movimiento preciso, ella se quita las sandalias y corre, en estampida, descalza.

El tiroteo en la barricada, detrás del bus que arde, se ha nutrido.

La vendedora que corre a su lado, con el canasto al hombro, grita:

–¡Viene la Guardia!

Y, en efecto, en sentido contrario a ellas, un pelotón de guardias avanza, cauteloso, con los fusiles en ristre.

Dios mío, ora, que no vayan a comenzar a disparar estos animales y quedemos entre dos fuegos.

La explosión del bus es atronadora.

Y enseguida comienza la balacera.

Ella logra acurrucarse en un arriate, tras un bordillo de ladrillos.

Un guardia se aposta a su lado, desde donde dispara hacia el bus, hacia los muchachos.

¡Virgen santísima!

Ha cerrado los ojos y se tapa los oídos para protegerse de las ráfagas que truenan a su lado. Un casquillo hirviente le quema el codo.

Oye gritos, voces de mando.

El guardia se ha puesto de pie y avanza en dirección al bus, a la barricada.

Ella permanece acurrucada en el arriate, tras el bordillo. ¿Y la vendedora?

La balacera arrecia de nuevo.

¡Joselito! Ojalá se haya equivocado, ojalá haya sido sólo un efecto visual, su imaginación, su miedo.

El aullido de las sirenas irrumpe entre las detonaciones.

Oye unas explosiones más fuertes, como bazukazos.

De pronto se hace un silencio, breve, denso.

A ella le arde la nariz por el hedor de la pólvora. Poco a poco se incorpora. Sus sandalias y su bolso de mano yacen a su lado. Se calza; luego, con cautela, se dispone a asomarse a la acera.

Observa más guardias, policías amenazantes; órdenes a gritos, lamentos, carreras.

Y entonces ve el cuerpo de la vendedora, tendido, boca abajo, sobre un charco de sangre. Varios curiosos se acercan. El canasto yace volcado a un lado del cuerpo; las verduras dispersas sobre la acera.

¡Dios santo! Se lleva las manos a la cara; luego se persigna.

La falda de la vendedora, que se alzó con la caída, deja ver la parte trasera de sus gordos y prietos muslos. Ella se acerca, jala el borde de la falda hasta dejarla cubierta.

¡Joselito!

Se dirige deprisa hacia la barricada.

Un policía la detiene, le dice que no puede pasar, le ordena que se aleje.

Ella rodea el bus que aún arde para acercarse por el otro lado.

Los cuerpos inertes de dos jóvenes yacen tendidos a media calle, entre el bus y la barricada, rodeados de policías y guardias.

Ella se apresura, con el corazón en la garganta, cubriéndose la boca con la mano, como si estuviera a punto del llanto. No, ninguno de ellos es Joselito.

Ve que detrás de la barricada yace otro cuerpo. Corre hacia allá.

Un pickup de la Guardia se estaciona obstruyéndole el paso.

Ella lo vadea y observa el cadáver: tampoco es Joselito.

–¡Retírese, vieja! –le grita un oficial, agresivo, casi punzándola con la boca del fusil. Luego les ordena a los agentes que tiren los cuerpos a la cama del pickup.

Ella se retira hacia la acera; se pregunta de nuevo si era realmente su nieto a quien vio en las barricadas. Desea haberse equivocado, pero otra voz en su interior le dice que no, que era él, aunque tuviera el rostro cubierto. Y la camisa a cuadros y el pantalón de lona negra, iguales a los que ella le plancha cada semana.

Un curioso comenta que dos muchachos heridos huyeron en un auto.

Dios misericordioso, que nada le haya sucedido a su nieto.

Entonces vuelve a sentir el ardor en el codo; saca el pañuelo de su bolso de mano para limpiarse la quemadura; ya se le inflamó la ampolla, pequeña, nada grave.

Luego se dirige hacia la ambulancia de paramédicos que se ha estacionado frente al cadáver de la vendedora.

El aire apesta a quemado. Y el sol del mediodía reverbera sobre el pavimento.

Han cubierto con una sábana blanca el cuerpo de la vendedora.

Hay otros dos heridos, uno de ellos es el pasajero de la tonsura que venía delante de ella: yace sentado en la cuneta, con un tiro en la pantorrilla derecha. Un paramédico le cura la herida.

Entonces descubre al gordo de la papada blanca y

ojos claros, el mismo que seguramente capturó a Albertico y Brita, quien desciende de un jeep, con la pistola desenfundada, se dirige hacia el pasajero que está siendo curado y lo encañona.

—¡Llevémonos a este hijo de mil putas! —exclama, amenazante—. ¿Crees que te nos vas a escapar?

El pasajero alza la mirada con pavor.

—Yo venía en el bus —balbucea, a punto del llanto.

El paramédico sigue limpiando la herida en la pantorrilla, como si nada.

—¡Dejalo! —le ordena el gordo zarco y enseguida jala al pasajero por el brazo y le clava la pistola en la sien.

—¡El señor venía en el bus con nosotros! —exclama María Elena—. ¡Y también la señora que mataron! —agrega señalando hacia el cuerpo de la vendedora—. ¡Los subversivos estaban al otro lado del bus!

El gordo la mira con sorpresa:

—¡Y a vos quién te ha preguntado algo, vieja puta!

El corazón le palpita con agitación, como si temiese que él pudiera reconocerla.

—¡A vos también te voy a llevar, por metida! —le espeta el gordo, pegándole un empujón al pasajero y disponiéndose a tomarla por el brazo.

Entonces oye que alguien le pregunta a su espalda:

—¿Y usted qué hace aquí?

María Elena se voltea, a punto del colapso: es el Chicharrón...

—¡Yo venía en el bus con los señores —dice, implorando—, cuando los subversivos nos obligaron a bajarnos!...

–Vaya casualidad –exclama el Chicharrón, y enseguida le dice al gordo zarco–: Dejalos, que ella viene de cuidar al Vikingo. Yo la llevé con él hace un rato.

El gordo los mira con desconcierto.

–Y apurate, que el capitán quiere saber si reconocemos a esos hijos de puta –dice el Chicharrón, mientras voltea hacia el pickup donde han tirado los cuerpos de los muchachos.

El gordo enfunda la pistola en su cintura; da media vuelta.

–Y usted –le dice el Chicharrón a ella–, siga su camino que los tiros no están como para quedarse curioseando.

El pasajero de la tonsura vuelve a sentarse en la cuneta, aún demudado, pálido, tembloroso:

–Muchas gracias –musita, mirándola.

El paramédico se aplica de nuevo a tratar la herida.

Ella ve con un movimiento reflejo la ampolla que el casquillo hirviente le produjo en el codo.

Debe salir de ahí. La casa de doña Cecilia está a sólo cinco calles.

7

Desde la esquina, distingue la casa de doña Cecilia.

Ha recorrido las cinco manzanas deprisa, pero como zombi, sin fijarse en nada ni en nadie, con su mente clavada en la imagen del joven con la camisa a cuadros, el pantalón negro, el pañuelo rojo embozándole el rostro y la cachucha amarilla de beisbolista; el joven que luego de una breve carrera lanzó el coctel Molotov contra el auto de la compañía de teléfonos del que seguramente segundos antes bajaron al conductor, porque el auto estaba detenido a media calle, frente a la barricada, y sin conductor.

Se para frente a la puerta de la casa. Antes de tocar el timbre, se arregla la cola de caballo, se alisa el vestido. Hasta entonces no descubre la mancha de polvo en su nalga derecha, una mancha que se hizo seguramente al acurrucarse detrás del bordillo en el arriate. Se sacude. Luego presiona el timbre.

Mientras espera a que abran la puerta, observa el auto estacionado frente a la casa: le parece el mismo en el que don Betío llegó esta mañana a donde Albertico.

Ni su prima Ana, ni Anselmo, el chofer, le abren la puerta, sino la niña Yolanda.

–María Elena, qué te pasa, que venís como si hubieras visto al Diablo –le dice–. Entrá, apurate.

–Buenos días, niña Yolanda –dice–. Con su permiso.

Pasa, cierra la puerta y camina detrás de la mujer por el corredor.

La niña Yolanda siempre tan elegante, tan gallarda, con las mismas facciones que su tía, sólo que en trigueño, porque doña Haydée era blanca y pelirroja.

–Me agarró la balacera –dice.

–¿No? ¡Cómo! ¿Estás bien?... –reacciona la mujer, observándola con detenimiento.

–Por la gracia de Dios, niña Yolanda... Venía en el bus para acá. Pero había una barricada en la esquina del Colegio Cervantes –explica. Y se brinca la imagen del joven idéntico a Joselito.

–¡A María Elena la agarró la balacera!... –anuncia la niña Yolanda al entrar a la sala, donde están doña Cecilia, don Betío y la mujer que lo acompañaba esta mañana.

–Buenos días –saluda María Elena.

–Contanos –le pide doña Cecilia, quien yace reclinada en su sillón, con el bastón en la mano derecha y su cabellera completamente cana sobre los hombros.

Don Betío se pasea cerca de la ventana, con un vaso en la mano.

María Elena permanece de pie; pierde su mirada en la mesa redonda de la sala y piensa que don Betío no cambia, siempre comienza a beber vodka desde antes del almuerzo.

–Había una barricada, nos bajaron del bus y comenzó la balacera –dice.

–¡Dios mío! –exclama la mujer que acompaña a don Betío, quien permanece sentada en el sofá, con las manos tomadas en su regazo.

–Aquí se escuchó claramente la balacera –dice doña Cecilia–, pero hasta hace unos minutos no dieron los detalles en la radio.

–Con tanto tiroteo por todos lados, no dan abasto los pobres periodistas –dice la niña Yolanda.

—Mataron a la señora de las verduras que venía sentada a mi lado... —dice, y se le escapan los sollozos. Saca el pañuelo de su bolso de mano; con él se cubre la nariz y la boca mientras solloza.

Los otros permanecen en silencio.

—¡Dios mío! —exclama por fin doña Cecilia.

Don Betío le pregunta cómo fue que la mataron. Ella le cuenta los hechos, sin dejar de sollozar, como si hasta ahora no pudiera dar rienda suelta a su miedo. Pero no refiere el zarpazo del gordo zarco que capturó a Albertico, ni la aparición salvadora del Chicharrón, ni mucho menos la visión del joven embozado que lanzaba el coctel Molotov...

Entonces, de pronto, contiene sus sollozos y un gesto de sorpresa asoma en su rostro: ¿dónde están Albertico y Brita?, ¿qué hace aquí don Betío en vez de estar celebrando con ambos su puesta en libertad?

Se percata de que en la sala impera una sensación de angustia extrema.

—¿Y Albertico y Brita? —pregunta, con un hilo de voz.

—Aún no sabemos nada, María Elena —responde don Betío, agobiado, antes de empinarse el vaso de vodka, con un abatimiento peor que el que padecía temprano en la mañana.

Ella les refiere el titular del diario *El Mundo*, que leyó a través de la ventanilla del autobús, el que le hizo suponer que Albertico y Brita estarían libres ya.

—Pusieron en libertad a otros, pero no a los muchachos —le explica doña Cecilia.

¿Por qué?, se pregunta, y quisiera preguntarles, ¿por qué liberaron a los otros y no a Albertico? Y se le viene a la mente la mirada salvaje del gordo zarco cuando se disponía a capturarla.

Entonces don Betío le pide que le detalle la información sobre la captura de Albertico y Brita que le dio la muchacha de la tienda. Ella repite lo que ya le dijo por teléfono a doña Cecilia: un cliente le contó a la muchacha que dos jeeps con hombres fuertemente armados interceptaron a la pareja cuando salía de la casa. Don Betío le dice que ellos, él y la señora que lo acompaña, se lanzaron de inmediato a la tienda a reconfirmar la información en cuanto doña Cecilia se la proporcionó, pero que la muchacha les dijo que ella no sabe nada, que no vio nada, que no ha hablado con nadie.

–¿Es una trigueñita coqueta, con un vestido corto? –pregunta María Elena.

–La misma –dice don Betío–. La dueña de la tienda tampoco quiso hablar con nosotros.

–Tienen miedo –dice María Elena. Y enseguida les relata su frustrado intento de acercarse a la otra muchacha que regaba el césped, la que se metió abruptamente a la casa para evitar hablarle.

–Nadie dirá nada –dice la señora que acompaña a don Betío.

La expresión criminal del gordo zarco vuelve un segundo a su mente.

Doña Cecilia se incorpora con ayuda del bastón; María Elena se acerca al sillón para ayudarla.

No sabe si relatarles su visita a la cueva del Vikingo. El teléfono timbra. Don Betío se abalanza a tomar el auricular.

Todos permanecen atentos.

Don Betío sólo masculla monosílabos, sin que su expresión de abatimiento se relaje. Luego cuelga, y se gira para mirar a su acompañante, negando con un movimiento de cabeza.

–Dejame llamar de nuevo a Eugenio –dice ella, resuelta, dirigiéndose hacia el teléfono.

Doña Cecilia dice que necesita ir al sanitario; María Elena camina a su lado, cual monaguillo, prestando su brazo derecho a la anciana.

–Decile a Ana que se prepare para servir el almuerzo –le indica la anciana, apoyándose en el bastón mientras entra al sanitario.

–Como usted ordene, doña Ceci –dice, y se encamina por el corredor hacia la cocina.

¿Le contará a Ana que creyó ver a Joselito frente a la barricada? ¡Dios la libre! Ni loca.

Ana está atareada frente a la estufa, removiendo en los sartenes.

–Alcancé a oír que te tocó la balacera –le dice, apenas mirándola, sin desentenderse de lo que está en el fuego.

–Horrible –comenta–. Ya te voy a contar.

Su prima Ana se ve tan avejentada. ¿Se verá ella también así de deteriorada? Ana es cuatro años menor, pero con eso de las várices, cada vez está peor, la pobre.

–Dice doña Ceci que te preparés para servir. ¿Te ayudo a poner la mesa?

Ana le dice que sí.

–¿Se quedarán a almorzar don Betío y la señora?

–Dijeron que no –dice Ana–, que sólo estaban esperando una llamada telefónica para irse a almorzar a otro lado.

–¿Cómo se llama la mujer? –pregunta María Elena, en voz baja, casi cuchicheando, con un rictus de desprecio.

–Regina –responde Ana, también con un cuchicheo de complicidad. Y luego, hablándole al oído, agrega–: Es viuda de un coronel que fue ministro y ahora es la amante de don Betío.

María Elena alza las cejas. ¿Y entonces por qué esa mujer no consigue que pongan en libertad a Albertico y Brita?... Quiere decir que la situación es mucho más grave. Dios santo.

Ana abre el refrigerador.

–¿Qué has preparado? –pregunta María Elena, junto a la estufa, curioseando en las ollas y cacerolas.

–Picadillo de carne –dice Ana.

María Elena toma un poco del guisado con el cucharón, se lo sirve en la palma de la mano, lo sopla y luego lo prueba.

–Voy a poner la mesa –dice mientras se lava la mano bajo el grifo.

A través de la ventana, observa el patio trasero, la vereda de piedra entre el pasto y los rosales, y, al fondo, la puerta de la habitación de Ana.

Se seca la mano con la toallita de cocina y enseguida se dirige al comedor.

Una vez a la semana, desde hace años, visita a su prima Ana y a doña Cecilia, su último vínculo con el recuerdo de su patrona doña Haydée, por eso se mueve con tal soltura, como si ella hubiera trabajado toda su vida en esta casa: del enorme chinero de roble saca el mantel, los cubiertos, los platos, los vasos.

Mientras dispone los cubiertos escucha lo que se habla en la sala: doña Regina, la amante de don Betío, dice que Eugenio no se ha presentado a su despacho en toda la mañana, que el secretario asegura que está fuera del cuartel, que en cuanto se haga presente le dará el mensaje de la señora.

Doña Cecilia ha abierto la puerta del sanitario.

María Elena se dirige deprisa a ayudarla.

La anciana le indica con un movimiento del brazo izquierdo que no se acerque, con el bastón le basta; le dice que siga poniendo la mesa.

–Ya nos vamos –anuncia don Betío.

–Es una lástima que no se queden a almorzar –dice la niña Yolanda.

María Elena ha terminado de arreglar la mesa para dos personas. Doña Cecilia nunca almuerza sola, siempre viene a acompañarla alguno de sus hijos o de sus nietos u otro familiar o amigo.

–Cualquier cosa que sepan, nos avisan de inmediato, Betío –dice doña Cecilia, quien permanece de pie en el corredor, dispuesta a despedirse.

–Sí, tía –dice don Betío, apesadumbrado.

María Elena se acerca a recibir el vaso vacío que don Betío le entrega. Dice:

—Adiós, don Betío, adiós, señora, que les vaya bien.

Quisiera darles aliento, pero sólo siente un nudo en la garganta. Y regresa a la cocina.

8

Ya han levantado la mesa donde comieron las señoras: platos, cubiertos y vasos sucios yacen en el fregadero. Doña Cecilia se ha retirado a tomar su siesta; les pidió que la despierten a las dos de la tarde, por si se va de largo, lo que casi nunca le sucede, pero anoche durmió poco y mal, como si ya hubiera presentido que la falta de noticias de Albertico y Brita era un mal agüero. La niña Yolanda regresó a su casa.

María Elena y Ana almuerzan en la pequeña mesa de la cocina, usan la vajilla de plástico de la servidumbre. Siempre ha sido así: no comen hasta que los señores han terminado.

Le ha repetido en detalle a Ana cómo se enteró de la captura de Albertico y Brita, de las sospechas que le despertó el jeep con el gordo zarco acechando la calle donde viven los muchachos, de su visita a donde el Vikingo. Ana no es sólo su prima, sino su mejor amiga, en quien puede confiar, a quien le puede revelar cosas que nunca le diría a Belka. Pero nada mencionará de la posibilidad de que Joselito haya sido el joven de la trinchera.

–¿Por qué no le dijiste lo del gordo a don Betío? –le pregunta Ana mientras se levanta a traer las tortillas que se están tostando en el comal.

No sabe. Se sintió cohibida, quizá porque no conoce a la señora que acompaña a don Betío, o porque le resulta difícil hablar del gordo sin mencionar su visita a donde el Vikingo. Eso dice: se siente atolondrada por los sucesos del día, su cabeza no da para más.

–Guapa, doña Regina, y se ve que tiene muchos contactos –comenta Ana.

Ambas escucharon, hace un rato, mientras las señoras almorzaban en el comedor, cuando doña Cecilia le explicaba a la niña Yolanda que el tal Eugenio es el jefe de la Guardia Nacional, un general amigo de la amante de don Betío.

–A mí me parece que esa señora tiene la cara estirada, como si se hubiera hecho cirugía plástica. Es más guapa doña Estela –dice María Elena.

–La pobre no ha parado de llamar desde anoche –comenta Ana–. Albertico había quedado de reportarse anoche...

–¿Ya le dijeron lo que ha sucedido?

Ana dice que aún no, que antes de que María Elena llegara, don Betío y doña Ceci estuvieron valorando quién se lo debe contar y cuándo. Doña Estela le tiene especial animadversión a don Betío desde que se divorciaron.

Eso ya lo sabe María Elena, lo que quiere saber es lo que acordaron: quién se lo dirá y cuándo. Porque en cuanto se entere de que su hijo ha desaparecido, doña Estela se vendrá hecha un rayo desde Costa Rica.

–Don Betío la llamará al final de la tarde, para darle la noticia, si aún no se sabe nada de los muchachos –dice Ana. Luego le pregunta si quiere más frijoles.

Tiene que regresar a donde el Vikingo, tiene que convencerlo de que la ayude. Le dirá que el gordo zarco era quien estaba vigilando la casa de los muchachos el otro día, que seguramente él los capturó. ¡Dios bendito! Si hace unos años ella vio al gordo zarco junto al Vikingo y hace un rato se lo ha vuelto a encontrar con el Chicharrón, Albertico permanece seguramente en los sótanos del Palacio Negro. ¡Cómo no lo había visto con tanta claridad antes!... Lo que pasa es que el Vikingo no ha reconocido a Albertico, no sabe quién es...

Ana dice que doña Estela se oponía a que Albertico regresara a El Salvador, que le parece una locura que su hijo haya cambiado la tranquilidad de Costa Rica por esta matazón. Cada vez que habla por teléfono con doña Cecilia se queja de ello, le echa la culpa a don Betío, que por seguir las andanzas de su padre Albertico ha venido a exponerse al peligro.

María Elena toma el pichel del centro de la mesa y se sirve más fresco de tamarindo. Siente una resequedad en la garganta.

–Pero yo creo que ese muchacho está metido en algo grave –dice Ana–. Ojalá lo saquen con vida.

Ana siempre ha sido curiosa, con un sexto sentido para enterarse de cosas que la gente esconde.

–¿Por qué decís? –inquiere María Elena, mientras se lleva a la boca una cucharada de arroz y de pronto se pregunta si de verdad quiere enterarse de más secretos, como si no tuviera ya suficientes.

–Estuvo dos años en Rusia, dicen que estudiando, pero en Rusia sólo hay comunistas...

–¡Virgen María!

La misma historia de don Pericles. Tiene que decirle a don Betío que los muchachos fueron capturados por el grupo de policías del gordo zarco, pero debe hacerlo sin arruinar la gestión que pueda emprender el Vikingo... ¿Se recuperará el Vikingo como para regresar a trabajar a la policía?... ¡Padre eterno divino, en lo que se ha venido a meter! Si Belka supiera...

La sobresalta el estruendo de la puerta corrediza del garaje.

–Es Anselmo –dice Ana.

–Por poco me atraganto –se queja María Elena–. Qué nervios.

Enseguida oye el motor del auto que entra al garaje.

Ana se pone de pie, toma un plato de la alacena, va a la estufa y sirve picadillo, arroz y frijoles.

Anselmo aparece en el umbral: delgado, con la camisa blanca de manga corta, el pantalón oscuro, la barba rala y un saco de naranjas en la mano.

Saluda, pregunta por doña Cecilia, dice que se viene muriendo del hambre, que trae otro saco de naranjas en el carro...

Un par de veces a la semana el chofer va a la finca, en las faldas del volcán de Santa Ana, a hacer mandados que le ordena doña Cecilia. La finca, que era de don Nico Baldoni y heredaron sus hijas doña Haydée y doña Cecilia, está ubicada en los linderos de Tejapán, el pueblo donde María Elena y Ana y Belka nacieron, donde sus familias aún residen.

–La cosa está fea por allá también –comenta Anselmo, mientras se sienta a la mesa.

Ambas mujeres se alarman, inquieren.

–Dice la gente del pueblo que en la noche se han escuchado disparos hacia el otro lado del volcán, en la parte que da al lago –explica Anselmo–. Parece que los muchachos se están entrenando en esa zona.

–¿Entrenando? –pregunta María Elena, extrañada–, ¿para qué?

–Para la guerra...

–¡Dios santísimo! –exclama y le vuelve la imagen de Joselito embozado.

Anselmo se sirve fresco de tamarindo.

Entonces Ana comienza a contarle en detalle lo que se sabe de la captura de Albertico, porque Anselmo salió hacia la finca temprano en la mañana, antes de que María Elena se enterara gracias a la chica de la tienda.

Que no le vaya a mencionar nada de lo del Vikingo, Ana es a veces muy indiscreta, y no hay motivo para tenerle tanta confianza a Anselmo, un chofer que apenas tiene dos años de trabajar para doña Cecilia, que no procede del pueblo de ellas sino que llegó a través de otras rutas.

–¡No puede ser! –exclama Anselmo, impresionado. Bebe un largo sorbo de fresco. Y enseguida, con una mueca de miedo, masculla–: Se los llevaron...

–¿Vas a querer más tortillas? –le pregunta Ana.

Anselmo murmura, sin salir de su asombro, que apenas tres días atrás él condujo a la casa de Albertico y Brita unos muebles que les envió doña Cecilia.

Ha empalidecido, como si temiera que por haber llevado esos muebles, por haber tenido contacto con ellos, algo terrible pueda sucederle.

Entonces escuchan un llamado perentorio de doña Cecilia desde su habitación:

–¡Ana!...

Los tres se incorporan, con alarma.

¡Dios mío! ¿Qué le sucederá?

Doña Cecilia llama de nuevo, con más apremio.

Ana ha salido deprisa hacia las habitaciones. María Elena y Anselmo han caminado detrás de ella, hasta el corredor, expectantes.

–¡¿Doña Ceci, qué le pasa?! –exclama Ana.

María Elena se abalanza hacia la habitación.

Doña Cecilia está sentada en la cama, los pies en el suelo, las manos en el pecho, a la altura del corazón; respira con dificultad. Ana le ha dado una pastilla y sostiene el vaso de agua mientras la anciana bebe.

–Llamá a Chente, hija, decile que me siento muy mal –le dice doña Cecilia, casi sin aliento.

Don Chente Alvarado es el médico de la familia. María Elena lo conoce desde que era un jovencito, cuando vivía en la casa vecina a la de don Pericles y doña Haydée, donde ella trabajaba.

Ana toma la libretita con números telefónicos de la mesa de noche, descuelga el auricular y se apresura a marcar.

María Elena le pregunta a doña Cecilia qué puede hacer por ella. Aún respira con dificultad, pero empieza a calmarse; le señala el vaso vacío.

Anselmo se ha asomado por el umbral.

–Alistá el carro, muchacho, por si tenemos que salir en carrera hacia la clínica –le dice doña Cecilia al chofer.

Anselmo se lanza hacia la cochera; María Elena va a sus espaldas, hacia la cocina.

¡Virgen María! Lo que faltaba. La angustia por la suerte de Albertico ha afectado el corazón de doña Cecilia. No llevará una botella del refrigerador, pues el agua helada puede ser contraproducente para la enfermedad cardiaca. Saca un pichel de la alacena; lo llena con agua filtrada del garrafón. Dicen que doña Cecilia quedó enferma a causa de la mala vida que le daba don Armando, su marido; dicen que la peor maldición es casarse con un borracho. Por suerte, el hombre murió hace años.

Cuando regresa a la habitación, doña Cecilia ha tomado el auricular y habla con la niña Yolanda, dice que ya se siente un poco mejor, pero aún está asustada.

Le llena el vaso con agua.

Doña Cecilia le explica a su hija que deben llevarla a la clínica, es lo que recomendó la asistente del doctor Alvarado, no pudo hablar con éste, pues ahora está en el quirófano, en una operación, pero la asistente dice que es urgente que la revisen, que pudo ser un amago de síncope.

Anselmo regresa y dice que el carro está listo.

La niña Yolanda saldrá directamente hacia la clínica; se encargará, además, de avisarle a don Armandito, el hijo mayor de doña Cecilia.

Anselmo y Ana la ayudan a ponerse de pie.

La conducen, entre ambos, cargada por los hombros, a través del corredor. María Elena ha tomado el bastón y va detrás de ellos. Bordean el patio hacia la cochera.

–¿Te podés venir conmigo a la clínica? –le pregunta la anciana–. Prefiero que Ana se quede, por cualquier cosa. No quiero dejar la casa sola.

–Por supuesto, doña Cecilia –responde María Elena y se adelanta a sostener la puerta del carro.

9

Ana se quedó en casa de mala gana, hubiera preferido acompañar a su patrona, enterarse personalmente de lo que diga don Chente.

María Elena va en el asiento trasero, junto a doña Cecilia.

Anselmo conduce sin precipitación, pese a la emergencia: la anciana teme por sobre todo la alta velocidad en el auto y es dura cuando reprende; además, ella dice que ya se siente bien, que las pastillas han hecho efecto y le advierte al chofer que no quiere sufrir otro susto a causa de un accidente de tránsito.

Han tardado unos veinte minutos en viajar desde la casa de doña Cecilia hasta los edificios de Clínicas Médicas, en la 25 Avenida Norte. A pocas cuadras de ahí se ubica el Hospital de Diagnóstico, donde trabaja Belka.

A María Elena le hace ilusión volver a ver a don Chentío, como lo llamaba hace más de treinta años, cuando apenas era un joven estudiante de medicina y no el importante médico en que se convirtió. ¿Qué habrá sido de sus padres, don Raúl y doña Rosita? Se dispone a preguntárselo a doña Cecilia, mientras entran al estacionamiento de la clínica, pero entonces ve un gran despliegue de jeeps, policías y hombres armados.

¡Dios mío!, ¿qué estará pasando?

–Está muy fea la situación aquí –dice Anselmo, temeroso, al enfilar hacia la rampa de emergencias. Pero no puede seguir en esa dirección, porque un policía blandiendo una metralleta le impide el paso y le ordena que se dirija hacia el otro lado del estacionamiento.

María Elena siente un escalofrío cuando distingue que es el gordo zarco quien conduce uno de los jeeps que en ese instante sale del área de emergencia, en estampida, chillando llantas, hacia la 25 Avenida Norte. Otros autopatrullas lo siguen.

–¿Qué es todo este alboroto? –pregunta doña Cecilia.

–Voy a ver –dice María Elena.

Abre la puerta y sale a la carrera del auto, antes de que éste se detenga del todo. La presencia del gordo zarco hizo un «clic» en su cabeza: los policías vinieron a capturar al muchacho herido en la barricada. Siente una angustia intensa, como si Joselito ya estuviera en las garras de esos malvados.

Corre hacia la entrada de emergencias, donde se congregan grupos de curiosos, médicos y enfermeras.

–¡Y usted qué!... ¡Parece que me anda siguiendo!..., ¿qué hace aquí? –grita alguien a sus espaldas.

Se voltea, desconcertada: es el Chicharrón, al volante de un jeep, quien ha detenido la marcha y la observa con suspicacia.

–La patrona se puso mal del corazón y la traemos a urgencias –dice, y señala hacia el carro de doña Cecilia–. ¿Qué ha pasado? –pregunta, implorante.

–No me descuide al Vikingo... –responde el Chicharrón, aún suspicaz, al tiempo que arranca hacia la salida del estacionamiento.

–Al ratito iré de nuevo –logra decir.

Permanece a media calle, desamparada, con la pregunta quemante en la boca.

Luego enfila deprisa hacia la entrada de la clínica. Le pregunta al primer grupo de curiosos qué ha sucedido. Una mujer aún muy alterada le dice que los policías capturaron a unos médicos y a un paciente.

¿Quiénes eran?

La mujer dice que no sabe. Más de una docena de doctores tienen su clínica en ese edificio.

Voltea hacia el carro de doña Cecilia. Anselmo está de pie junto a la portezuela abierta; inquiere con un gesto de la mano.

Ella nota que los policías ya se largaron. Le indica al chofer que puede acercar el carro a la rampa de emergencias, para que doña Cecilia no tenga que caminar.

Entra al edificio. La atmósfera es tensa: pacientes, médicos y enfermeras comentan los hechos, en un cuchicheo, con temor. Ella se aboca a la oficina de información. Le dice a la enfermera que trae a una paciente delicada con el doctor Chente Alvarado. Ésta abre la boca; una mueca de angustia le tensa el rostro.

—Se lo acaban de llevar... —murmura, a punto del llanto.

—¡No!... ¿Por qué? —exclama María Elena.

—El doctor estaba en el quirófano, operando a un muchacho que había venido herido...

—¿Un muchacho?... ¿Usted lo vio?

—Era un trigueño, con rasgos indígenas, cabezoncito...

—¿Un trigueño?

—Ajá —confirma la enfermera—, al que trajeron con la pierna destrozada por una bala. Dicen que era guerrillero...

Le da las gracias al Sagrado Corazón de Jesús que escuchó su ruego. No era Joselito, que es alto y de piel blanca.

—¿Y se llevaron al doctor?

—Y también al muchacho y al anestesista y a la secretaria del doctor...

—¡Dios mío!

Se da la vuelta hacia la rampa de emergencia, donde se ha detenido el carro conducido por Anselmo. ¿Qué le dirá a doña Cecilia? Le pide a la enfermera una silla de ruedas para la señora, señalando hacia la rampa. Le dice que doña Cecilia no debe enterarse de la captura del doctor Alvarado: la noticia puede afectarle el corazón. Le ruega que consiga de inmediato a otro médico.

La enfermera le dice que no se preocupe: ella ha comprendido la situación y se hará cargo.

10

Ahora va de nuevo en un bus, de nuevo hacia el centro de la ciudad, de nuevo en busca del Vikingo. No hubo necesidad de que se quedara a acompañar a doña Cecilia en la clínica; pronto la niña Yolanda apareció acompañada por otros familiares. Y la enfermera le hizo creer a doña Cecilia, con toda naturalidad, que don Chente seguía en el quirófano y que él mismo había recomendado al otro médico. Pero más temprano que tarde la señora se dará cuenta.

Abordó una ruta 3 en la parada de la Policlínica.

¿Cómo es posible que se hayan atrevido a entrar a una clínica a capturar a un paciente y al médico que lo operaba? Padre santo, ya no respetan nada, ni las iglesias ni los hospitales. Pobre de don Chente y del muchacho baleado. ¡Pero Joselito está a salvo! Bendito sea el Sagrado Corazón de Jesús.

El bus baja por la Tercera Calle Poniente, frente al cine Central, a vuelta de rueda a causa del tráfico. Hace un calor horrible; el aire entra por la ventanilla, denso e hirviente. Va aturdida por el sopor. Ahora le deberá pedir al Vikingo dos favores: que averigüe el paradero de Albertico y Brita, y también el de don Chente. Absorta, no se ha fijado en su compañero de asiento; repara en el tipo enfurruñado, con el bigotito a lo Hitler y el cuello de la camisa deshilachado, que suda a su lado.

Se bajará en la siguiente parada, en la avenida España. Luego tomará otro autobús que la acerque al mesón del Vikingo. No tiene ganas de caminar tantas cuadras bajo semejante solazo.

Debe comprar algo de comida para que el Vikingo se reponga. Pasará a El Cochinito, el supermercado que le queda en el camino. Pero el estómago de ese hombre no resistirá nada sólido; lo vomitará de inmediato. Un suero oral es lo que necesita. Claro.

Jaló el cordón de la campanilla y se dirige hacia la puerta trasera del bus.

¿Cuál es la farmacia más cercana?

Baja del bus.

Esa parada siempre está repleta de gente, una muchedumbre sudorosa que se arremolina en la acera y entre la cual logra abrirse paso hacia la avenida España.

Camina en dirección a Catedral, cubriéndose del sol bajo los aleros.

Tiene una idea que la anima: si el Vikingo aún no se ha recuperado y no puede volver al Palacio Negro, ahora ella tiene la posibilidad de recurrir al Chicharrón para que le cuente sobre el destino de don Chente. Éste no puede negar que estuvo allí; ella lo vio.

Cruza la calle frente al hotel San Salvador.

¿Y si el Chicharrón sospecha de ella? Le explicará que fue pura coincidencia el habérselo encontrado en las dos ocasiones. No tiene por qué mentir.

Al llegar a la esquina del Palacio de Correos, en vez de enfilar hacia la farmacia América, cruza la calle Arce y sigue por el costado de la Catedral.

De pronto la abate un profundo cansancio, como si a esa hora ya hubiera consumido todas sus energías; desea reposar, tomar aire antes de volver a la faena. Y otra vez sucede como si alguien la llevara de la mano. Sube los escalones del atrio deprisa, sin voltear hacia atrás, sin fijarse en las mantas con consignas revolucionarias que cuelgan de la fachada, diciéndose que debe pedirle ayuda a Dios como Dios manda.

Entra al templo por la puerta lateral. Parpadea, obnubilada, al pasar de la luz hiriente a la penumbra, del sol abrasador a la sombra refrescante. Se persigna. Avanza hasta el reclinatorio tras la banca postrera; saca el pañuelo de su bolso de mano y se seca el rostro.

Entonces una agrura se revuelve en su interior, una agrura distinta a la paz de espíritu que esperaba.

Media docena de feligreses están dispersos en el interior del templo.

Camina por el pasillo lateral hacia el altar. Hay un olor denso en el aire, como a desinfectante; nunca terminan de reconstruir la Catedral, desde hace años está en obras, desde que la consumió un incendio.

Se sienta en la tercera fila, alejada de los demás feligreses. Contrita, con las manos entrelazadas en el regazo y los ojos cerrados, paladea el sabor agrio de la vieja emoción, de un recuerdo que retorna cada vez con menos frecuencia y que ahora no hubiera vuelto sin la curiosidad del Vikingo. Ese hombre es un perverso. ¡Cómo se le pudo ocurrir hurgar en el pasado de ella, con qué derecho!...

Pero no ha venido a la casa de Dios a hacer recriminaciones. Debe rezar y pedirle al Señor que no le suceda nada grave a Albertico, ni a Brita, ni a don Chente, que salgan con vida de este trance. A eso ha venido, no a recordar la vieja cicatriz. Aunque, hoy que lo piensa, la imagen que tiene de Clemen es borrosa, diluida en los rasgos de Belka...

Abre los ojos. Sacude con la mano el polvo del reclinatorio; se arrodilla.

Empieza a musitar el padrenuestro...

Entonces oye pasos por el pasillo que está a su izquierda, como si un grupo caminara deprisa, casi a la carrera.

Se da la vuelta: ve a varios jóvenes que se pierden

tras una puerta ubicada a un costado del altar y que seguramente conduce a la sacristía. ¿Qué estará sucediendo? Percibe otros movimientos sospechosos en el interior del templo: más gente en las bancas, parejas que cuchichean.

¡Dios mío, que no vayan a tomar la iglesia y la dejen a ella atrapada ahí dentro! Cierra los ojos una vez más, como si pudiera seguir rezando, pero sólo se le viene a la mente la mueca de reproche de Belka, el momento en que le dijo que la religión católica ya es puro comunismo y que ella está pensando en pasarse a los protestantes.

La agitación en el templo no cesa: ir y venir de jóvenes, el ruido de las voces es cada vez más irrespetuoso.

¿Y si ya cerraron la verja de Catedral, ella no puede salir y queda de rehén como parte de una protesta?

Alarmada, se pone de pie. Tiene que largarse de inmediato. Se persigna rápidamente. Y camina hacia la salida del templo, reverente, con la vista fija en las baldosas, como si la normalidad imperara y ella no se hubiera enterado de nada. Lamenta no haber podido rezar como quería, pero padece la angustia del peligro inminente. Cuando alcanza el portón, por el rabillo del ojo distingue claramente un rastro de gotas de sangre. Padre eterno divino. No se detiene. Al salir al atrio, cegada por la luz del sol, se lleva la mano a la frente como visera: gracias a Dios no han cerrado la verja, aunque unos hombres sospechosos están apostados a sus alrededores.

Baja el atrio a toda prisa. Cruza la calle y se interna en la plaza Barrios, con paso veloz, sin volverse para mirar hacia atrás, ansiosa sólo por alejarse.

Esa sangre, por Dios. Se miraba fresca, como si acabara de gotear de un herido. ¿O habrá sido nada más un efecto visual? No, la última vez que ella había entrado a Catedral, una semana después de que la policía disparara contra los manifestantes que se congregaban en el atrio, pudo ver rastros de sangre vieja y seca en los pasillos; era distinta a la de ahora.

¿Adónde se dirige? De pronto siente unas inmensas ganas de regresar a su casa y olvidarse de todo; de ir a preparar la cena, a esperar a que Joselito regrese de la universidad y Belka del trabajo; de que este berenjenal en el que se ha metido sea nada más una pesadilla y ella pueda olvidarse de Albertico, de Brita, de don Chente; se descubre escuchando la voz de Belka, quien le advierte que deje de exponerse irresponsablemente, que vuelva a casa. Pero enseguida recuerda a doña Haydée, y a Albertico y Brita, quienes parecían tan contentos hace apenas dos días, y siente como una presión en el pecho.

Alcanza la manzana del Banco Hipotecario. En la acera de enfrente podría tomar un bus que la acerque al mesón del Vikingo. ¿Y el suero oral? Se le olvidó por completo. Pero tampoco las cosas están como para andar desperdiciando el dinero y un suerito no hará mella en un hombre en las condiciones del Vikingo, quien más bien debería estar hospitalizado en cuidados intensivos.

Se dispone a cruzar la calle, hacia la parada de buses, pero entonces decide que mejor caminará las aproximadamente ocho cuadras que la separan del mesón. Y si encuentra una farmacia en el camino comprará el suero. No puede ser tan ingrata, pese a que el dinero escasea.

Y ahora que lo piensa, cuando Albertico y Brita sean puestos en libertad, Dios quiera que pronto, tendrán que irse del país y ella se quedará sin ese ingreso. Ni modo. Las cosas seguirán como estaban: cocinará las galletas y los pasteles que vende en las tiendas de la colonia, surcirá composturas a la ropa de los vecinos; y seguirán viviendo gracias al sueldo de Belka, a quien, a Dios gracias, cada vez le va mejor.

Cruza hacia el cine Apolo; acortará la ruta bajando la cuesta por la parte trasera del Palacio Negro, aunque en esas calles secundarias difícilmente encontrará una farmacia.

¿Ya se habrá despertado el Vikingo? ¿Qué hará si ese hombre aún permanece dormido, noqueado por la enfermedad? ¿Qué sentido tiene dirigirse hacia allí si no podrá ayudarla? ¿Cómo no lo pensó antes? ¿O es que...?

Con un movimiento reflejo de su cabeza logra esquivar un balcón de hierro forjado. Se detiene del susto. Iba tan ensimismada. Pudo haberse roto la cara. Cómo se les ocurre poner los balcones de esas ventanas prácticamente metidos en la acera...

Retoma su camino; pondrá mayor atención. Muy pocos transeúntes van por esa calle y apenas uno que otro auto.

¿Cuánto sabrá el Vikingo sobre la vida de ella? En la mañana tuvo la impresión de que ese hombre está más informado de lo que dejó ver. ¿Habrá descubierto su secreto mejor guardado, tan guardado que incluso a esta altura de su vida algo se revuelve hondo en su interior cuando lo recuerda, un secreto que nunca ha revelado ni siquiera a su hija? ¿Habrá descubierto ese hecho que cuarenta y dos años después aún la conmociona? ¿Habrá descubierto quién es el padre de Belka? No quiere ni imaginarlo...

Baja la cuesta deprisa, haciendo esfuerzo con las piernas para detener el impulso de su cuerpo. Entonces recuerda la molestia que temprano en la mañana sentía en el talón izquierdo; la curita ha funcionado de maravillas, con todo el trote de este día.

Debe ordenar sus ideas. En caso de que el Vikingo no se haya repuesto, irá con el Chicharrón; no hay de otra.

Llega a la parte baja de la cuesta; hay mucho tráfico en esa bocacalle. Se apresta a cruzar el puente de La Vega. Entonces el hedor la golpea; busca rápidamente el pañuelo en su bolso de mano y se tapa la nariz. Es la misma peste que sintió en la mañana cuando llegó al mesón del Vikingo. Con el calor del mediodía, el tufo de las aguas negras ha empeorado.

Enseguida deberá subir una cuadra, luego doblará a la derecha y llegará a su destino. Siempre ha tenido un excelente sentido del espacio, de la ubicación; difícilmente olvida cómo llegar a un sitio, aunque sólo lo haya visitado una vez. Es una virtud de la que se jacta.

Y ahora que lo piensa, el Chicharrón la llevó a dar una larga vuelta en el jeep antes de conducirla al mesón del Vikingo, como si hubiera querido despistarla, o quizá es la costumbre de esos hombres que temen que alguien los vaya siguiendo.

Alcanza la esquina desde donde divisa la entrada al mesón.

No encontró ninguna farmacia en el camino, tal como lo suponía. Ni modo. Si ese hombre se encuentra peor, lo conveniente será llamar una ambulancia.

Avanza por la acera. Es una calle secundaria, sin tráfico; una señora viene en sentido contrario a ella. Una pareja de muchachos está sentada en la cuneta, del otro lado de la calle, aprovechando la sombra que cae de un almendro; parecen novios. La observan de reojo.

Repara en un carro estacionado frente al mesón, con el conductor al volante, de espaldas a ella, y el motor encendido.

Le parece como si el sopor y la pesadez del aire hubieran detenido todo movimiento y ella viera una foto fija.

Entonces suenan las detonaciones.

Segundos después dos muchachos embozados salen a la carrera por la puerta del mesón y se meten al carro; los que estaban en la cuneta también corren hacia el vehículo, que arranca a toda prisa.

Ella permanece paralizada. Uno de los que salieron embozados era el mismo muchacho con la cachucha de beisbolista, la camisa a cuadros y el pantalón de lona negra. Ahora no le cabe la menor duda: ¡Joselito! Dios santo. Se vieron a los ojos una fracción de segundo; se reconocieron. Sigue inmóvil, incapaz de reaccionar.

Varios vecinos han salido alarmados del mesón. Un hombre, descamisado, con el torso desnudo, dice que hay que llamar a una ambulancia.

—Se está desangrando —exclama una mujer con los nervios alterados, restregándose las manos compulsivamente en el delantal—. Está tirado en la puerta de la habitación —dice—, todavía boquea.

María Elena tiene ganas de salir corriendo, de alejarse lo más rápidamente posible. Pero en vez de ello, se acerca al grupo de vecinos apelotonado a la entrada del mesón.

—¿Es el Vikingo? —logra articular, temblorosa, pasmada, como si aún conservara un dejo de esperanza.

Le dicen que sí.

Los vecinos entran y salen, conmocionados; hacen comentarios en voz baja. El hombre descamisado dice que lo mejor es que cada quien vuelva a su habitación, que pronto aparecerá la policía con la preguntadera.

Ella entra al mesón, con paso lento y las manos entrecruzadas a la altura del pecho, como quien se acerca a una cripta.

El Vikingo yace de bruces, en el umbral, con el tronco y la cabeza tendidos en el corredor, y las piernas aún dentro de la habitación. Un charco de sangre se ha empozado junto al cuerpo.

Ella se persigna, saca el pañuelito del bolso de mano y se lo lleva a la cara, a punto del llanto.

126

El estertor es regular, aunque apenas audible.

Dos curiosos merodean frente al cuerpo.

–Lo sorprendieron adentro –musita uno–, y ya baleado trató de salir.

Ella recuerda que en la mañana, al salir, sólo jaló la puerta, sin constatar si ésta quedó bajo llave.

–¿Cuántos tiros crees que le metieron? –pregunta el otro.

Ella se ha acuclillado.

–Vikingo... –le dice, quedito, como si éste pudiera responderle.

Observa la parte derecha del rostro: tiene el ojo cerrado; de la boca y la nariz le sale una baba sanguinolenta. Más allá distingue un trapo rojo enredado entre las piernas.

–Vikingo... –insiste–, soy María Elena.

No reacciona. En cualquier momento expirará.

Una sirena aúlla en las cercanías.

–Ya viene la ambulancia, Vikingo –le dice–. Resista.

No se atreve a tocarlo. Teme que el estertor se detenga. Todo su esfuerzo ha sido en balde. ¿El nieto de su alma perpetró esta barbaridad? Padre eterno divino, ¿qué locura es ésta?

Se incorpora. La sirena aúlla frente a la casa; de súbito deja de sonar.

Ella se da la vuelta. Descubre que los vecinos han desaparecido; está sola en el corredor frente al cuerpo del Vikingo. Algunos espían prudentemente tras las ventanas.

Dos paramédicos entran deprisa con una camilla.

–Todavía respira –dice ella.

Dejan la camilla a un lado y se acuclillan a revisarlo.

–¿Quién es? –pregunta el que le está tomando el pulso, primero en la muñeca y luego en el cuello.

–Es detective de la policía –responde ella–. Le dicen el Vikingo.

El otro se abalanza a coger el trapo rojo enredado en las piernas del Vikingo. Lo alza. Es una bandera, con una hoz y un martillo en una esquina, y las siglas FPL en el centro, en color amarillo.

Hasta ese instante ella no lo reconoce: es el mismo tipo que le curó la herida al hombre de la tonsura esta misma mañana, luego de la quema del bus, cuando el gordo zarco lo quería capturar.

–No aguantará –afirma el primer paramédico.

–¿Qué hacemos? –pregunta el otro, luego de tirar la bandera a un lado–. ¿Nos lo llevamos?

–Yo digo que sí. No vaya ser el tuerce. Desde la ambulancia les preguntaremos a los del Palacio adónde quieren que lo traslademos.

Se disponen a alzar el cuerpo para tenderlo en la camilla. Ella no quiere ver; se cubre la nariz y la boca con el pañuelo, y mira en otra dirección, como si se le hubiera perdido algo en el suelo.

Entonces irrumpen tres detectives, a las carreras y los gritos, blandiendo pistolas y metralletas. Ella reconoce al gordo zarco; siente un escalofrío.

–¿Cómo está? –pregunta el gordo.

Ha echado una mirada rápida al Vikingo sobre la camilla, luego a la bandera y enseguida se fija en María Elena.

Los paramédicos voltean a verse con una mueca de desesperanza.

—¡Apúrense! —les ordena el gordo.

—¿Adónde lo llevamos?

—A donde sea —gruñe, sin quitarle la mirada a ella.

Los otros dos detectives han entrado a la habitación del Vikingo.

—¡Hay sangre en la cama! —grita uno de ellos—. Lo agarraron acostado.

Pero el gordo no le pone atención; se ha acercado a ella lentamente, aguzando la vista, como si hiciera cálculos, con la pistola en su mano caída apuntando el suelo.

Ella lo huele, aterrorizada; ruega a Dios que el Chicharrón venga a protegerla. Quiere decir algo, justificar su presencia, pero no le salen las palabras, como si se le hubiera cerrado la garganta.

De un manotazo, el gordo la toma por la cola de caballo y le pega un jalón hacia abajo. Ella cae de hinojos, desmadejada.

—Otra vez nos encontramos, vieja puta —le espeta, con su aliento agrio, zarandeándola—. ¿Creés que a mí me vas a babosear?

—Sangre de Cristo, cúbreme... —alcanza a rezar María Elena, antes de que el cachazo de la pistola le estalle en el rostro.

Tercera parte

1

¡Mierda!: ésa era su abuela. ¿Qué hacía en ese lugar? Joselito se ha quitado el pañuelo que lo embozaba y se lo ha guardado en un bolsillo del pantalón. Aún empuña la pistola; transpira. Va en el asiento trasero, junto a la ventanilla derecha.

–¡Acelerá a fondo! –exige Dimas desde el asiento del copiloto, con un alarido, muy agitado.

El auto avanza a toda máquina.

–¿Qué pasó? –pregunta Carlos, el conductor, tenso, con las dos manos aferradas al volante.

–El hijo de puta nos disparó –responde Dimas.

–¿Pero no los hirió? –pregunta Irma, quien se reacomoda entre Joselito y el Chato.

–Casi me pega –dice Joselito, y se gira hacia atrás, atento por si los vienen siguiendo, y luego percibe, con cierta excitación, el brazo de Irma rozando su brazo–. Sentí que el plomazo me pasó silbando por la oreja derecha.

Carlos realiza una maniobra para rebasar a otro auto y casi pierde el control del volante.

–Cuidado, cabrón –exclama Dimas.

–Tranquilos –dice el Chato, con su voz de mando. Y enseguida, oculta la expresión tras sus gafas oscuras, les pregunta–: ¿Pero lo remataron?

Joselito guarda silencio; escabulle su mirada hacia la ventanilla.

–Nos respondió el fuego y nos tuvimos que replegar –dice Dimas deprisa–, pero le metimos varios tiros.

Enfilan por el bulevar Venezuela.

–¿Cuántos? –insiste el Chato.

–No sé –dice Joselito, volteando hacia el Chato–. Yo le pegué por lo menos dos en el pecho antes de que nos respondiera el fuego.

–Tuvieron que haberlo rematado –insiste el Chato–. Es el procedimiento.

Es el responsable de la escuadra, pero le ordenó a Dimas que éste planeara y dirigiera la operación, porque la orden les llegó de súbito, quedaba muy poco tiempo y el Chato estaba concentrado en otras tareas.

–No hubo chance –dice Dimas–. Era muy arriesgado. El hijo de puta nos podía sorprender de nuevo.

–Dejamos la bandera –dice Joselito mientras saca su cara por la ventanilla para que el aire lo refresque.

A él que no le pidan cuentas: sólo cumplió la orden recibida.

–¿Y si quedó vivo? –vuelve a la carga el Chato.

–No creo –dice Dimas, sin mucha convicción–. Nos disparó por reflejo, en automático. Ya se debe de haber desangrado.

–¿Entonces por qué no lo remataron?

−Te estoy diciendo que se armó la balacera y era mejor replegarnos −explica Dimas con exasperación.

Joselito se dice que no es cierto, que a Dimas le falló el temple, se rajó, y dio la orden de retirada.

−¿Es aquí, verdad? −pregunta Carlos, antes de meterse a una calle lateral.

Dimas y Carlos siguieron esas mismas calles una media hora atrás, nada más para comprobar que la ruta de escape funcionara, antes de recoger a los otros tres y dirigirse hacia donde el objetivo.

Dimas dice que sí.

En ese momento, cuando doblan a la derecha, ven un autopatrulla que baja a gran velocidad, en sentido contrario, por el bulevar Venezuela.

−Tranquilos −dice de nuevo el Chato con voz de mando.

Joselito observa por el rabillo del ojo.

−Nos vieron −dice Carlos.

−Seguí, sin detenerte, y doblá a la izquierda en la próxima bocacalle −le indica Dimas, con tono nervioso, pues el plan era que a media cuadra se bajaran el Chato e Irma, quienes sólo vinieron a hacer la cobertura de seguridad y a confirmar que la operación fuera ejecutada.

Todos van atentos a sus espaldas, con las pistolas listas en la entrepierna, por si el autopatrulla aparece.

Carlos dobla a la izquierda.

−¡Acelerá al máximo! −le indica Dimas.

Avanzan por una calle paralela al bulevar.

−Yo creo que se fueron de paso −dice Irma.

—Al menos no han aparecido todavía —comenta Carlos, echando miradas nerviosas al espejo retrovisor.

—¡Doblá aquí a la derecha! —le indica Dimas.

Carlos da el volantazo.

Más adelante, frente a una tienda, le dice que se detenga.

Irma y el Chato se bajan deprisa y se meten a la tienda.

Carlos reanuda la marcha.

—¿Y ahora? —pregunta.

—Tratemos de llegar a la Veinticinco Avenida —dice Dimas—. Ahí dejaremos el carro y nos perderemos cada quien por su ruta.

A Joselito se le viene de nuevo la mirada de asombro de su abuela. ¿Qué hacía a esa hora en ese preciso lugar?

—Ese Chato cómo jode —comenta Dimas con enfado—. Se cree la gran cosa...

—Es el jefe —dice Carlos—. Tiene que dar cuentas.

Joselito se ha agachado entre los asientos para sacar de su mochila otro cargador; se lo está poniendo a la pistola cuando oye el grito de Carlos:

—¡Ahí vienen!

El autopatrulla ha salido de una calle lateral; a gran velocidad, con la sirena encendida, se apresta a emparejárseles.

Joselito se incorpora parapetándose en la ventanilla izquierda, con la pistola en ristre. En una fracción de segundo ve el rostro del policía que conduce el autopatrulla y le dispara. Éste pierde el control: se estrella contra un microbús estacionado en la vía.

–¡Le di! –exclama.

–¡Qué chiripa! –grita Dimas con regocijo–. ¡Puyale!

A través del cristal trasero, Joselito observa la nube de humo que sale del autopatrulla estrellado, se siente como si estuviese en una película, en espera de la explosión. La palabra «chiripa» ha quedado resonando en su oído.

–¡Aquí a la derecha! –indica Dimas.

Avanzan otras tres cuadras.

Entonces se detienen, descienden del auto y empiezan a caminar los cincuenta metros que los separan de la congestionada parada de buses sobre la Veinticinco Avenida.

Joselito se ha quitado la cachucha de beisbolista; se sacude la cabeza para que los rizos se le acomoden.

Avanzan separados, en formación, mochilas al hombro, a toda prisa, pero sin correr: Carlos y Dimas en una acera, con cinco metros de distancia entre cada uno; Joselito en la otra. Cada uno porta su pistola bajo las faldas de la camisa.

Dos autobuses rugen en la parada; la gente se apelotona ante las puertas.

Joselito corre a subirse al que está adelante y a punto de partir.

Una sirena aúlla en las cercanías.

2

Lo primero que percibe es el ruido, como un zumbido lejano. Luego el dolor. Y enseguida la oscuridad, una oscuridad gelatinosa, en la que ella flota a la deriva, con lentitud, y de la que no puede salir. El ruido se hace más claro, agudo, la penetra como taladro, intensificando el dolor. Entonces despierta. Aún no puede abrir los ojos. Y comprende: es una sirena. Le vuelve la conciencia. Ubica el dolor que se expande desde su pómulo izquierdo hasta el cerebelo.

Percibe el bamboleo del auto.

Su memoria reacciona: ¿va en una ambulancia o en un autopatrulla conducido por el gordo zarco? El terror la paraliza. Prefiere permanecer en la oscuridad, sin intentar abrir los ojos. ¿Por qué no la remató ahí mismo el gordo, por qué la dejó viva? Seguramente la llevan al Palacio Negro para torturarla, para que les confiese lo que sabe del atentado contra el Vikingo. Padre eterno divino. Siente que se le aflojan los esfínteres.

Oye una voz, pero no entiende lo que dice.

Trata de palpar con sus manos, aprovechando el movimiento del auto: siente la tela, el borde de metal. Yace en una camilla. No cree equivocarse.

El auto salta con brusquedad.

–¡Más cuidado! –logra ubicar la voz del hombre a su derecha.

–De dónde me saliste tan delicado... –exclama otro, por atrás de la cabeza de ella.

La conducen en una ambulancia. Los que hablan son los paramédicos.

—Ha llegado vivo el viejo mala yerba —dice la primera voz momentos antes de que el auto se detenga.

¡El Vikingo va a su lado! Le da gracias al Sagrado Corazón de Jesús, le ruega que el Vikingo sobreviva, que no caiga la maldición de un crimen sobre su adorado Joselito.

El auto se mece. Los paramédicos han abierto las puertas traseras.

Con cada movimiento su dolor de cabeza se intensifica; el rostro lo siente como anestesiado.

—Primero el viejo, que viene agonizando —dice uno de los paramédicos.

Deslizan la camilla de ella hacia un lado.

Quisiera poder abrir los ojos, tomar de la mano al Vikingo para darle ánimos.

Enseguida la alzan. El dolor se hace insoportable; teme volver a quedar inconsciente.

Percibe el aire fresco, los ruidos de la calle, de las ruedas de la camilla sobre la loseta. ¿A qué hospital la han traído? Belka, por Dios, deben avisarle a Belka.

Ahora huele el aroma dulzón y denso de la sala de emergencias. Y oye cuchicheos, órdenes, quejidos, pasos.

—¿Y éste? Uy... Hay que contenerle la hemorragia... ¿Cuántos tiros le metieron?

Es otra voz, mandona, impulsiva. Quizá el médico jefe de turno que pregunta sobre el Vikingo.

—Es un detective de la policía —dice el paramédico.

—¿Y por qué no lo llevaron al hospital militar?

–Lo llevábamos para allá, pero a último minuto nos ordenaron que lo trajéramos para acá.

No entiende la exclamación del médico.

Ella quisiera de una buena vez abrir los ojos, incorporarse, decirles que ya todo pasó, que lo suyo fue sólo un golpe en el rostro; pero más bien se siente como en un limbo, en una lejanía desde la que apenas percibe sonidos y olores.

Detienen su camilla.

–¿Y ella? –habla una mujer.

–Un policía le pegó un cachazo en la cara –dice el paramédico en voz baja.

–Qué canalla... –exclama la mujer.

–Era la única persona que tenía a mano para desquitarse del atentado contra éste –dice el paramédico, y luego agrega–: Parece que le causó una conmoción cerebral. No ha despertado en todo el trayecto...

–Le reventó el pómulo... –dice la mujer.

Siente que le alzan un párpado, luego el otro.

–Aquí está la cédula de identidad que llevaba en el bolso. Se llama María Elena Hernández.

Ahora ella quiere abrir los ojos, decirles que su hija es enfermera, su nombre es Belka Hernández, trabaja en el Hospital de Diagnóstico. Pero el dolor y la lasitud le impiden reaccionar; como si sus ojos y su boca se hubieran desconectado de su mente y por eso no responden a las órdenes que ella les envía.

–Lo extraño es que a esta señora ya nos la habíamos encontrado a media mañana en la balacera cerca del Colegio Cervantes... Estoy seguro de que es ella.

Sí, soy yo, quisiera decirles, pero la voz no le sale.

—A la señora pónganla allá al fondo —ordena el médico de voz mandona—. Y a éste condúzcanlo de una vez al quirófano.

Empujan con brusquedad su camilla. El dolor se hace insoportable.

Y entonces vuelve a flotar en la oscuridad gelatinosa, a la deriva, lentamente, como si fuese un astronauta en el espacio exterior, pero sin sol ni estrellas que iluminen, la pura oscuridad en la que ahora descubre un bulto que también flota a su lado, o quizás es un cuerpo, sí, es la vendedora ambulante de verduras, la señora gorda y prieta que flota horizontalmente, como si hubiese muerto ahogada y el mar la zarandeara a sus anchas, aunque ella sabe que la mataron a tiros, pero lo que la sorprende y alegra es que la falda que ella le bajó para que le cubriera los muslos, cuando yacía tirada en la acera, permanece en su sitio. Poco a poco el cuerpo de la vendedora ambulante se aleja. Y ella se pierde en la oscuridad...

3

Belka está en su escritorio, revisando el informe del turno de la noche anterior. Son pasadas las cuatro de la tarde. Espera la llamada del doctor Barrientos. Hoy es un día decisivo: si aprueban su contratación en el Hospital Militar, su vida cambiará radicalmente. Dará un salto que nadie espera, ni Luisa, ni el doctor Merino, ni su madre.

Sobre el escritorio tiene fotos de su madre y de Joselito, nadie más; a diferencia de Luisa, quien tiene fotos de cada uno de sus tres hijos, de sus padres, de su matrimonio, muchas fotos de su matrimonio.

Ella y Luisa comparten despacho, ubicado junto al del doctor Merino, el director de operaciones.

—¿Querés echarle un ojo a los turnos de anoche? —le pregunta a Luisa antes de colocar la carpeta en la palangana sobre su escritorio.

Luisa es la supervisora, la jefa; ella, Belka, es la segunda, la suplente. Muy pronto Belka sabrá si también se convertirá en supervisora, pero no de este pequeño hospital privado, sino del Hospital Militar.

Está ansiosa. Ha logrado mantener todo en secreto, hasta de su madre, para evitar intrigas, acusaciones, malas miradas.

—En un rato los revisaré —dice Luisa concentrada en un informe de cuentas.

Ésta es regordeta, de cabello corto, gafas redondas, cutis de poro ancho, y muy maquillada. Parece mayor que Belka, aunque no lo sea.

Si el doctor Barrientos le dice que sí, que su contratación ha sido aprobada, no le informará nada a Luisa esta tarde sino mañana. Primero hablará con su madre, María Elena. Ése es el plan. Lo tiene detallado: su madre pondrá mala cara, protestará, pero no tendrá más opción que aceptar sus razones, lo conveniente de tal paso. Y mañana temprano pasará por el Hospital Militar, para ultimar detalles, y luego vendrá a renunciarle al doctor Merino.

Pero no quiere hacerse ilusiones; odia hacerse ilusiones.

Si el doctor Barrientos le dice que no fue aprobada, tendrá que «hacer de tripas corazón», como dicen, y seguir lidiando con Luisa, con el doctor Merino.

Se mueve hacia atrás en su silla rodante y se pone de pie. La ansiedad le produce ganas de orinar.

Es trigueña clara, de tez lustrosa, nariz aguileña, con una mata de cabello negro hasta los hombros agarrada en una trenza bajo la cofia, y su cuerpo aún esbelto pero escondido dentro del holgado uniforme. Desde joven aprendió a no mostrarse, a que los hombres la intuyan y luego se prendan.

Como el doctor Merino, quien ha entrado deprisa, agitado.

–¿Ya se dieron cuenta? –pregunta.

–¿Qué pasó? –dice Belka.

Luisa se ha volteado.

–¡Se llevaron al doctor Chente Alvarado!... –exclama el doctor Merino–. Estaba operando a un paciente en Clínicas Médicas cuando un grupo de hombres armados entró hasta el quirófano a llevárselos a todos...

–¡No!... –exclama Luisa, llevándose las manos a la boca.

El doctor Alvarado es muy respetado: ha sido directivo del Colegio Médico de El Salvador y tiene un consultorio en la colonia Escalón, donde atiende a las familias más adineradas del país. Médicos y enfermeras lo conocen al menos de nombre.

–¿A quiénes se llevaron? –pregunta Belka, con curiosidad, pero sin exteriorizar emoción alguna.

–Al doctor, a dos enfermeras, al anestesista y hasta a la secretaria –dice Merino–. Es lo que me dijeron... Y por supuesto también al paciente.

–¡Dios mío! –dice Luisa, conmocionada, a punto de la histeria–. ¿Pero por qué se lo llevaron? ¿Quiénes eran esos hombres? ¿Se identificaron?

–Seguramente eran paramilitares –dice Merino–. Estaba operando a un muchacho que llegó herido de bala.

A Belka la apuran las ganas de orinar, pero se contiene: no quiere que el teléfono suene en su escritorio mientras ella está en los sanitarios y que Luisa o Merino respondan.

Si Merino se entera de que el doctor Barrientos la está llamando puede sospechar algo. Merino es alcanzativo y, lo que es peor, celoso. Por eso ella vuelve a sentarse, como si tuviese cosas que hacer y diese la conversación por terminada, para que Merino se largue de una vez a su despacho. Pero en vez de ello, Merino se apoya en el escritorio de Belka y dice que el Colegio Médico prepara una protesta ante la Junta de Gobierno, que si una cosa así le ha sucedido al doctor Alvarado, qué no podrá sucederle a médicos menos importantes. Y recuerda que el colega está casado con una Aguirreurreta, de una poderosa familia de cafetaleros y banqueros.

–Entonces pronto lo pondrán en libertad –dice Belka–. Si no debe nada, con esos contactos, lo van a soltar.

–¿Usted no lo conoce? –le pregunta Merino, quien en privado la trata de «vos» y en público de «usted».

–De vista –miente Belka. No quiere ponerse a recordar.

Luisa permanece con una mueca de angustia.

Belka la observa y siente un asomo de compasión: su jefa está casada con el doctor Guillén, quien tiene un consultorio en la llamada Clínica Popular, allá por la Veintinueve Calle, donde según el rumor se agrupan los médicos que tienen simpatías por los subversivos.

–Fue mi profesor en la facultad –dice Merino con grandilocuencia–. Es un excelente médico y una gran persona.

Pero ella no tiene por qué sentir ninguna compasión. ¿Qué le pasa? Luisa vive jactándose de su vida matrimonial nada más para recordarle a ella, a Belka, que es una madre soltera, con fama de casquivana, y que pertenece a un sector social más bajo porque es hija de una sirvienta.

–Es un mensaje –murmura Luisa, con voz temblorosa–. Pobre doctor Alvarado. Dios quiera que lo regresen vivo.

Belka no resiste más.

–Ahora vuelvo –dice y se encamina a los sanitarios.

Merino la sigue con la mirada. Es un caliente y un mirón. Las enfermeras se quejan de ello: cómo les mira el trasero. Pero le gustan las jovencitas, las recién egresadas. Todos son iguales.

Cruza el corredor deprisa.

Siente regocijo: Luisa está asustada por lo del doctor Alvarado, ya no insistirá en pedirle que asista a las reuniones de la Asociación Nacional de Enfermeras. Belka odia la política.

En el sanitario se encuentra a Dorita, la joven enfermera que trae loco a Merino y a los demás médicos. Belka sabe lo que es eso: quince años atrás babeaban por ella. No envidia a Dorita. La vanidad no fue lo suyo. Siempre supo controlar la calentura entre las piernas para lograr sus propósitos. La calentura entre las piernas... ¿Cuándo terminará de írsele?

Dorita tiene la piel lechosa, labios carnosos y ojos claros.

–¿Ya supo lo del doctor que capturaron en Clínicas Médicas? –pregunta Dorita mientras se lava las manos.

Belka le dice que sí, que hay que tener cuidado y no atender a pacientes que no se identifiquen.

Si le sale lo del Hospital Militar se llevará a Dorita con ella; tan linda, le servirá de carnada.

Regresa al despacho.

Merino dice que saldrá un momento, que regresará a más tardar en media hora.

–Yo voy a la sala de cirugía –dice Luisa, poniéndose de pie.

Entonces timbra el teléfono sobre el escritorio de Belka. Ésta se aproxima a levantar el auricular con displicencia, como si se tratara de otra llamada rutinaria, y no de la llamada que podría cambiar su vida.

–Aló –dice con cierta molestia, como siempre contesta–. Sí, soy yo –dice ahora con verdadera molestia al descubrir que no es la voz del doctor Barrientos ni de su secretaria–. ¡¿Cómo?!... ¡No puede ser!.. –exclama–. ¡Voy para allá!

Merino y Luisa la observan con aprensión.

–Mi madre ha sufrido un accidente –dice con el rostro desencajado.

4

Joselito entra al cafetín de la Facultad de Humanidades. Es un galerón de madera, con techo alto de láminas de zinc. Echa un vistazo a las mesas: no ve a nadie conocido. El Chato llegará cinco minutos más tarde.

La mochila gris cuelga de su hombro; se pasa la mano con los dedos abiertos por los cabellos, de la frente hacia atrás, como si fuese un cepillo para acomodar sus rizos.

En los altoparlantes del cafetín suena *A desalambrar*, la canción de Víctor Jara. Ya aburren con esa canción, se dice Joselito. A él le gustaría que la música fuera otra. ¿Qué pasaría si en los cafetines y pasillos de la facultades, en vez de las mismas tonadas de protesta, pusieran por ejemplo a Genesis o a Pink Floyd? Se regocija de sólo imaginarlo.

No entró a la clase de las cinco: se disponía a hacerlo, cuando el Chato se le apareció en el pasillo y le indicó que se encontraran un cuarto de hora más tarde en este cafetín. En verdad, en todo el día no tomó más que la primera clase de la mañana.

Nunca había participado en tanto refuego en una sola jornada. Sucedió sin previo aviso. A la salida de la primera clase, hacia las nueve, el Chato lo esperaba en el pasillo: le dijo que había alerta máxima y que tendría actividad todo el día.

Camina hacia el mostrador a comprar una Coca-Cola.

Se siente exultante. ¿Ya sabrá el Chato que aniquiló con un único disparo al autopatrulla que los perseguía? Recuerda la expresión de Dimas: «Qué chiripa». Le da rabia. La pura envidia de Dimas. Éste fue quien le habló por primera vez del grupo clandestino, quien estableció el contacto con el Chato, pero ahora parece que no le hace gracia que a Joselito comiencen a promoverlo.

La mayoría de mesas están ocupadas; consigue una cerca de la ventana. Saca los audífonos y el walkman de la mochila: inserta un casete de Led Zeppelin.

Seguramente el Chato, al salir de la tienda donde lo dejaron con Irma, tomó un taxi hacia la universidad. Sólo así se explica que ya lo haya estado esperando. Como jefe de la escuadra tiene un estipendio para gastos.

148

Le gusta este cafetín porque puede contemplar más culitos hermosos que en el cafetín de su facultad; pocas chicas guapas estudian ingeniería.

Black Dog es su canción favorita. Tararea: «*Hey, mama, said the way you move...*».

A dos mesas de por medio, hacia la puerta de entrada, hay dos sujetos raros. Parecen orejas, informantes. Pero dentro de la universidad son ellos los que peligran.

¿Le pedirá el Chato que le regrese la pistola? Sólo se la prestan para cada operación y enseguida debe devolverla; es el más joven de la escuadra y aún vive con su familia.

Pero hoy ha ganado puntos. Es la tercera operación de ajusticiamiento en la que participa. Y la más peligrosa: no se trataba de eliminar a un informante sino a un policía fogueado. Se lo explicó el Chato cuando le dio la pistola en el auto.

Le gusta esa nueve milímetros. La ha usado en dos operaciones; la reconoce por la muesca en la cacha. También la utilizó semanas atrás en un entrenamiento de tiro al blanco en las faldas del volcán. Ahora la lleva en la mochila, no en la cintura, es la orden; el campus es territorio seguro.

Pero, ¿y si esta operación más bien le resta puntos porque no remataron al objetivo? De ninguna manera: quien dio la orden de retirada fue Dimas. Y el certero disparo que acabó con el conductor del autopatrulla vale más que una operación de ajusticiamiento.

Bebe del vaso de Coca-Cola. Repara en las chicas,

sin detenerse en ninguna en particular, hasta que descubre a una trigueña con minifalda y piernas moldeadas frente al mostrador. Es Gloria, su vecina. Ella no lo ha visto. Qué rica que está. Mala suerte encontrársela en estas circunstancias, cuando no puede quedarse a platicar con ella.

Se pasa de nuevo la mano abierta por el cabello como si fuese un cepillo; enseguida agita la cabeza, coqueto, para que los rizos le caigan sobre la frente y las mejillas.

Gloria viene con un vaso: lo ve, lo saluda con una leve sonrisa, pero enfila hacia otra mesa, donde la espera una compañera. Se sienta, de espaldas a Joselito.

Ella estudia primer año de psicología. Viven en el mismo edificio de apartamentos, pero ella se mudó hace pocos meses. Han conversado en la explanada frente al edificio en varias ocasiones. Ella es un poco esquiva, consciente de su guapura. Dos meses atrás, en la gigantesca manifestación de la Coordinadora Revolucionaria de Masas, él la descubrió con sorpresa en el contingente de estudiantes universitarios. Nunca habían hablado de política.

Entonces el Chato asoma por la puerta, como quien va de paso, nada más echa un vistazo a ver si encuentra a algún conocido, y luego sigue su camino.

Joselito lo ve de reojo, deja correr un minuto, luego termina su Coca-Cola de un largo trago, se pone de pie con parsimonia, tira el vaso de plástico en el basurero y, sin quitarse los audífonos, pasa con aparente despreocupación junto a la mesa de los sujetos sospechosos.

Permanece frente al cafetín unos segundos, chequeando si los sujetos se disponen a seguirlo. Ha bajado el zíper de la mochila; guarda los audífonos.

Los orejas no salen.

Enfila por las cabañas donde están las aulas de Humanidades.

Divisa al Chato unos treinta metros adelante: avanza despacio, encendiendo un cigarrillo, dándole tiempo, perdiéndose entre los grupos de alumnos que recorren esa ruta.

Le da alcance en las escaleras frente al comedor universitario.

–Vámonos a las bancas junto a Periodismo –le indica el Chato.

Acortan por un trecho de césped.

–Se llevaron al Cabezón –le dice el Chato mientras se acomodan en la banca de madera.

–¿Cómo?

–Que se llevaron al Cabezón...

Hablan sin mirarse, más bien observando a los estudiantes que pasan por la vía peatonal frente a ellos.

–¿De la clínica?

–Ajá –dice el Chato soltando una bocanada de humo; aún tiene puestas las gafas oscuras, aunque atardece.

–No te puedo creer.

Al Cabezón lo hirieron en el combate frente al Colegio Cervantes al final de la mañana. Le metieron dos tiros: uno en el muslo y otro en el abdomen. Primero lo condujeron a una casa de seguridad mientras conseguían a un médico de confianza para que lo operara. Pero pasaban los minutos y no hubo ningún médico a mano. El Cabezón se estaba desangrando. Fue el Chato quien ordenó que lo llevaran a Clínicas Médicas. Lo dejaron en emergencias, casi inconsciente, sin ninguna documentación.

–¿Cómo fue que se lo llevaron? –pregunta Joselito.

–Alguien les dio el soplo desde el hospital y los hijos de puta llegaron a sacarlo mientras lo estaban operando.

La imagen de su madre, Belka, pasa fugaz por la mente de Joselito. Enseguida pregunta:

–¿Y entonces?

–Tenemos que levantar una casa de seguridad lo más pronto posible, esta misma noche.

–Pero el Cabezón ya estaba inconsciente. No le pueden sonsacar nada.

–La orden es desocupar la casa. Te vamos a necesitar como seguridad periférica. Te recogeré a las siete en el mismo lugar.

–¿Y el juguete? –pregunta Joselito, refiriéndose a la pistola que carga en la mochila.

–Quedate con él. En la noche, después de la operación, me lo devolverás.

Otra vez tendrá que inventarse una historia para explicarle a su abuela por qué llegará tan tarde a cenar... ¡Su abuela!

–Y a partir de mañana cambiaremos buzones, señas y contraseñas –agrega el Chato.

Los buzones son los sitios de encuentro. Las señas y contraseñas sirven para saber si se establece o no el contacto. Nunca utilizan el teléfono.

—¿Vos creés que el Cabezón cante?

—Nadie sabe...

El Chato es inexpresivo, silencioso; sólo dice lo indispensable.

—Pero si lo sacaron del quirófano se les va a morir.

—Cambiá tus rutinas. Aunque el Cabezón no conoce tu nombre verdadero ni dónde vivís, si canta montarán la cacería en las rutas que usamos.

—Vi a dos cabrones sospechosos en el cafetín.

El Chato sólo mueve un poco la cabeza, como si afirmara. Y se lleva el cigarrillo a la boca.

Luego de un año de militancia, Joselito ha aprendido que no debe preguntar ni saber más que lo autorizado. La compartimentación es la regla.

Permanecen en silencio. El Chato termina el cigarrillo y tira la colilla en el pasto. La luz crepuscular agrisa a los contingentes de estudiantes que recorren la vía peatonal.

—¿Por qué no remataron al objetivo en el mesón? —le pregunta de pronto el Chato, con cierto desapego, como si apenas le importara.

A Joselito se le viene la imagen precisa: el Vikingo encaja los dos disparos acostado en la cama y en una fracción de segundo, cuando él se dispone a acercársele para rematarlo, responde el fuego con la pistola que tiene bajo las sábanas. Joselito se parapetó al pie de la cama. Pero Dimas, que había entrado tras Joselito a la habitación, se replegó hacia el corredor y ordenó que se retiraran.

El Chato mueve la cabeza con un gesto de reprobación. Luego se pone de pie y le dice:

–Tenés una excelente puntería... Te veo a las siete.

Y camina de regreso hacia las cabañas de Humanidades.

Joselito permanece sentado en la banca, con la mochila en el regazo, desconcertado por el comentario del Chato, sin saber si éste se ha burlado porque él no pudo acabar con el Vikingo de dos disparos o si más bien se refería con admiración al tiro que inutilizó al autopatrulla.

5

La gorda Rita está en la cocina, de espaldas a la entrada, atenta a los plátanos que se fríen en el sartén. Las cinco mesas están ocupadas: dos por policías uniformados y las otras tres por agentes de civil y personal de servicio. Nunca faltan quienes prefieren salir a comer en los alrededores en vez de hacerlo en el comedor del Palacio Negro, pese a que en los últimos tiempos sea más peligroso.

Marilú entra y sale de la cocina con los platos. Todos la piropean, pero nadie le mete mano.

El comedor está instalado en la cochera de una casa antigua; la cocina la montaron en lo que antes fue el cuarto de servicio, con la pila y el baño. La gorda renta ese espacio, aislado por completo de la casa.

En el televisor anuncian el noticiero de las seis. A la gorda Rita le gusta el volumen muy alto, aunque se imponga a las conversaciones en las mesas. Los clientes también lo prefieren así.

En la cena es cuando mejor le va a la gorda Rita. Muchos agentes y personal del Palacio Negro terminan su turno y pasan a comer antes de retirarse a sus casas. Sirve frijoles refritos, arroz, queso, crema, plátanos fritos, tortillas y café. Los jueves y viernes viene su prima a hacer pupusas.

La gorda Rita también sabe hacer pupusas, pero no se da abasto. Con Marilú hacen todo el trabajo de lunes a sábado: compran, cocinan, preparan, sirven a las mesas, cobran y lavan los platos.

Abren de las seis y media de la mañana a las siete de la noche. Después de servir los desayunos, a eso de las nueve, la gorda Rita y Marilú cierran el negocio y se van al mercado a hacer la compra. Regresan antes de las once.

Las imágenes de un autopatrulla incrustado en un microbús aparecen en la pantalla. Se hace el silencio en el comedor. La chica del telediario dice que un policía murió y otros tres resultaron heridos luego de que protagonizaran un choque mientras perseguían un auto tripulado por delincuentes subversivos.

–¡Hijos de la gran puta! –exclaman al mismo tiempo dos comensales, con odio; los demás guardan silencio, atentos al relato de la presentadora.

La gorda Rita sale un momento de la cocina a ver la pantalla: no reconoce el rostro del policía muerto; no era su cliente. Luego regresa a mover los plátanos en la cacerola.

—Gorda... —escucha a sus espaldas.

Voltea: es el Chicharrón.

—¿Vas a cenar? —le pregunta mientras sirve tres platos.

—Hirieron al Vikingo.

—¡Cómo!...

La presentadora dice que según algunos testigos, que no quisieron aparecer en cámara ni dar su nombre, el autopatrulla chocó a causa de los disparos de los subversivos.

—Lo atacaron en su habitación —dice el Chicharrón, apoyado en el cancel que divide el comedor de la cocina, viendo de reojo la televisión—. Está muy grave.

—¡No! —exclama la gorda, limpiándose con nerviosismo las manos en el delantal.

—Lo agarraron desprevenido —dice el Chicharrón. Y luego agrega, señalando hacia la televisión con la boca fruncida—: Yo creo que fueron esos mismos hijos de puta.

Marilú regresa a la cocina.

—¿Se va a salvar? —pregunta la gorda Rita, con una mueca de angustia.

Le entrega los tres platos recién servidos a Marilú y le dice que se apure.

—Quién sabe. —El Chicharrón sigue con la mirada

el trasero de Marilú ahora entallado en un pantalón vaquero–. Le metieron varios tiros. Se lo llevaron al hospital.

–¿A qué horas sucedió eso? –pregunta la gorda Rita, tomándose de nuevo el delantal.

–Como a las cuatro.

–¡Y por qué venís a contarme hasta ahora!... Ingrato.

–La cosa se ha puesto fea –le dice el Chicharrón, metiéndose a la cocina y bajando la voz–. Hoy a mediodía mataron a uno de los macheteros al salir de su casa. Como vivía perdido allá por Apopa, hasta hace un rato no nos dimos cuenta...

–Dios santo –exclama la gorda Rita, persignándose. Ya no debe servir comidas de fiado. Dos clientes que se van sin pagarle, aunque quizá el Vikingo sobreviva.

–¿A cuál machetero mataron?

–Al alto. Creo que se llamaba Irvin. A esos cabrones no les gusta hablar con nadie.

–Ya no se está a salvo en ningún lado –se queja la gorda Rita; toma los platos sucios que trae Marilú y los coloca en la pila–. En cualquier momento pueden venir a atacar aquí al comedor... ¿Vas a cenar? –le pregunta, apurando al Chicharrón a que salga de la cocina y se vaya a una mesa. No le gusta que los clientes entren a la cocina.

–No te preocupés. Nos informaron que a partir de esta noche el perímetro de seguridad se extenderá una cuadra más a la redonda, por órdenes de arriba –dice el Chicharrón, saliendo de la cocina–. El comedor quedará adentro del perímetro. Ahora será muy difícil que vengan clientes que no sean del cuartel.

La gorda Rita lo ve con sorpresa, como si no entendiera. Luego le pregunta:

–¿A qué hospital llevaron al Vikingo?

–Al Rosales –dice el Chicharrón, apoyado de nuevo en el cancel–. Pero no sé cuándo lo voy a poder visitar, porque en un rato nos van a reconcentrar y permaneceremos así toda la noche y los días que vengan.

–Avisame cuando vayás, para que te acompañe... ¿Qué vas a querer cenar?

El Chicharrón le dice que le sirva de todo.

Se dirige a una mesa que acaba de desocuparse.

Deja de ver la televisión mientras ésta transmite anuncios comerciales.

Entonces entran Altamirano y el Ejote, con la mirada ansiosa, hasta que distinguen a Marilú, quien recoge los platos y limpia la mesa a la que se ha sentado el Chicharrón.

–Tené cuidado con ésos –le advierte el Chicharrón a la chica, en corto, deprisa, con tono de preocupación–. Tienen enfermedades venéreas, chancro. No te les acerqués.

Marilú lo ve con desconcierto. Y luego se vuelve hacia ellos: ambos se acercan con su mejor sonrisa.

–¿Qué le pasó al Vikingo? –le pregunta ella al Chicharrón, mientras se guarda el trapo en el bolsillo del delantal y se dispone a tomar la pila de platos.

–Lo hirieron. Está muy mal...

Altamirano y el Ejote la saludan, a cual más zalamero.

Marilú les corresponde con un gesto de coquetería; luego se encamina, sosteniendo la pila de platos y balanceando el culito, hacia la cocina.

–¿Y quién es el bueno, pues? –les pregunta el Chicharrón, provocador.

El Ejote y Altamirano toman asiento; se miran con una sonrisa de desafío.

–Ya vamos a ver –masculla Altamirano.

–Vos estás muy ruco para ella –comenta el Ejote, balanceando su cuerpo larguirucho en la silla.

Marilú viene de regreso a tomarles la orden.

–¿Ruco yo? No jodás... –riposta Altamirano.

Ella tiene catorce años: cuando los clientes son viejos policías adquiere la expresión asexuada de una niña, pero con el Ejote y Altamirano es coqueta como mujercita.

Les toma la orden, sin sostenerles la mirada, con un rictus de burla, casi insolente. El Chicharrón le hace un guiño.

–¡Marilú! ¡Apurate! ¡No te entretengas con ésos!... –le grita la gorda Rita desde la cocina.

Los tres le observan el trasero mientras ella se aleja.

La presentadora del telediario dice que una delegación internacional visitará el país para recopilar información sobre el asesinato del doctor Mario Zamora, secretario general del Partido Demócrata Cristiano y fiscal general del Gobierno.

–Qué cabrón lo que le pasó al Vikingo –comenta el Ejote, con un ojo en la tele.

Imágenes de un velorio y luego de un multitudinario entierro aparecen en la tele.

–¿Quién le habrá dado matacán a ese comunista? –se pregunta el Chicharrón, pensativo, perdida su mirada en la pantalla–. Porque nosotros no fuimos.

–El capitán cree que estamos infiltrados –dice Altamirano, sin poner atención a la tele, más a la espera de que Marilú aparezca.

El Chicharrón lo ve con enojo: le molesta que un joven novato en el cuerpo tenga más información que él.

–¿A qué horas dijo eso?

–Un poco después de que vos te vinieras para acá.

El gordo Silva seguía con la necedad de que la vieja esa que estaba con el Vikingo es la que guió a los hijos de puta para que lo atacaran.

–Ese zarco es un pendejo –dice el Chicharrón–. Si yo no llego a tiempo, hubiera matado a la pobre mujer que no tenía vela en el entierro.

–¿La señora que vino en la mañana a preguntar por el Vikingo? –se mete el Ejote.

–Ajá –dice el Chicharrón.

La presentadora dice que los directivos de la empresa privada han hecho un enérgico llamado a la Junta de Gobierno para que ponga orden en la ciudad y acabe con las marchas subversivas.

–Raro, ¿verdad? –agrega el Ejote–. Yo nunca había visto a nadie que viniera a buscar al Vikingo...

–Se conocían desde antes. Es una antigua movida del Vikingo. Yo la llevé a su habitación. Hubieras visto cómo le brillaron los ojitos al muy cabrón cuando la vio...

–¿Una novia de sus tiempos de luchador? –pregunta Altamirano.

–No –responde el Chicharrón–. Ella me dijo que se conocieron después, cuando ya el Vikingo trabajaba en el cuerpo.

–¿Y no habrá sido ella de veras la carnada? –dice el Ejote.

–Eso mismo dijo el gordo Silva –se mete Altamirano–. Pero el capitán le dijo que no fuera pendejo, que pensara, que no se trata sólo del ataque al Vikingo, sino que mataron al machetero alto. La única explicación es que hay un infiltrado...

–Pues vos sos el más nuevo –le dice con contundencia el Chicharrón–. Mejor cerrá la trompa...

Altamirano enmudece, primero desconcertado, luego con expresión de ofendido.

El Ejote lo ve con recelo.

–¿Y vos qué me ves, cabrón? –lo reta Altamirano.

–A mí primero, mi amor –le dice el Chicharrón a Marilú, quien se acerca con los tres platos y una cesta con tortillas.

6

Abre los ojos. La luz la ciega. Parpadea, una y otra vez, hasta que empieza a distinguir colores, formas. Es un cielo raso de madera descascarada. Oye ruidos, pero no el barullo de la sala de emergencias. ¿Dónde está? El dolor de cabeza la paraliza. Y algo le aprisiona el cuello. Teme moverse.

Al rato oye unas pisadas que se acercan.

—Ya despertó —dice la enfermera, y enseguida lo repite con más volumen y dirigiéndose hacia alguien en el pasillo—: Decile a la colega que su mamá ya volvió en sí.

María Elena intenta ver alrededor.

—No se mueva —le advierte la enfermera—, que tiene un collarín cervical. La vamos a mantener inmovilizada. ¿Cómo se siente?

Ahora percibe la gasa que le cubre el pómulo izquierdo, la manguera del suero atada a su muñeca.

—Bien —dice y se sorprende de oír su propia voz.

—¿Me distingue claramente?

—Ajá.

—¿Está segura de que no ve doble, que no me ve de forma borrosa? ¿No le tiembla mi imagen?

Repite que la ve bien, sin problemas.

—¿Tiene náuseas o mareo?

Responde que no, pero que le duele mucho la cabeza.

—Su hija está aquí. Ahorita viene —le dice la enfermera. Es chaparrita, rechoncha y mofletuda, con una expresión amarga en el rostro, pero hace un rictus, especie de sonrisa.

¿Qué le dirá a Belka? Dios santo. No debe mencionar que visitaba al Vikingo, sino que iba de paso. Las ideas se le enmarañan y también algo se le retuerce en el pecho: es la angustia de saber que Belka la escudriñará y será difícil mentirle. ¿Por qué a veces se siente tan desarmada frente a su hija? Pero ahora no debe preocuparse; después tendrá tiempo para acomodar la historia.

El aire en la habitación es denso; la luz, escasa. Distingue otras tres camas: a su lado derecho yace una anciana, inconsciente, con una mascarilla de oxígeno en el rostro; no ha podido fijarse en quiénes ocupan las dos camas de enfrente; a su izquierda, de la pared blanca y percudida pende un crucifijo. ¿A qué hospital la trajeron? Siente comezón en el pómulo y enseguida como si le metieran profundos alfileretazos.

Entonces, súbita, la imagen de Joselito embozado, saliendo a la carrera del mesón del Vikingo, le produce un ataque de pánico.

−¡Mamá!

Belka se acerca deprisa a su cama.

María Elena quisiera llorar con espasmos, darle rienda suelta a la angustia que la ha carcomido no sólo desde que ha despertado, sino a lo largo de ese día infernal, pero se contiene, teme que un movimiento le produzca dolor. Unas lágrimas silenciosas corren desde la comisura de sus ojos hasta el cabello entrecano en sus sienes.

–¿Cómo está?...

–Hola, hijita –gime, con el nudo en la garganta.

Belka viste su uniforme de enfermera, aunque se ha quitado la cofia; la trenza de cabello negro le cae por la espalda.

–Tranquila. Cálmese. Ya todo pasó –dice y baja la voz volteando hacia la anciana inconsciente en la cama de al lado.

Se ve tan apuesta su hija, tan dueña de sí misma.

Un médico, muy joven, de grandes gafas cuadradas, aparece detrás de Belka con unas radiografías en la mano. La saluda y le hace las mismas preguntas que momentos antes le ha hecho la enfermera. No tiene la voz mandona que ella oyó cuando la sacaron de la ambulancia. Quizá ya cambiaron de turno.

–¿Qué horas son? –pregunta, desconcertada.

–Van a dar las siete de la noche –le dice Belka. Y frunce el ceño, como si la reprendiera por preocuparse por nimiedades.

¡Tanto tiempo se quedó dormida!

–¿Recuerda lo que le sucedió? –le pregunta el médico.

Responde que sí; nuevas lágrimas le corren por las sienes.

–Tranquilícese. No quiero que piense más en ello –se apresura a decirle el médico–. Sólo quiero saber si su mente está trabajando bien. ¿Reconoce a su hija? ¿Recuerda su nombre y lo que hizo durante el día?

María Elena dice que sí; repite lo del dolor de cabeza y los alfileretazos en el pómulo.

–Son las puntadas. Hubo que suturarle la herida
–dice el médico.

Enseguida les explica, observando las radiografías,
que fuera de una leve fractura en el hueso cigomáti-
co, no se ve otra lesión. Pero ella debe permanecer en
reposo absoluto unos días, porque cuando ha habido
conmoción cerebral las consecuencias pueden ser im-
previstas. Y se despide, con una mirada coqueta hacia
Belka, que su hija, pese a sus cuarenta y un años, parece más joven y aún despierta deseo en los hombres.

–Qué mala suerte... ¿Cómo le vino a suceder esto,
mamá? –le pregunta Belka, apoyándose en el borde de
la cama, bajando la voz y con cierta entonación de reproche.

María Elena no puede contenerse:

–Se llevaron a Albertico y a Brita –gime.

Con el asombro en el rostro, Belka echa un vistazo rápido a su alrededor y se lleva el dedo índice a los
labios.

–¿Qué dice? –pregunta en un susurro, casi hablándole al oído.

–Cuando llegué en la mañana no estaban. Y después me enteré de que los habían capturado...

–Se lo advertí –masculla entre dientes, con una mueca de enojo–. Pero usted no me hace caso.

Enseguida recapacita y le dice, con extrañeza, que
lo que las colegas de urgencias le contaron es que ella
sufrió la agresión en la tarde, en un mesón en el barrio La Vega, donde habían baleado a un detective.

–¿En qué hospital estoy? –pregunta María Elena.

–En el Rosales, en una sala de cuidados intensivos...
Tuvimos suerte de que Blanca la reconociera y me llamara de inmediato. ¿Se acuerda de ella, una de mis mejores amigas en la escuela de enfermería?

–¿La de los ojitos claros?

Belka afirma con un movimiento de cabeza; enseguida vuelve a su expresión de severidad:

–Pero qué andaba haciendo usted a esa hora en un mesón del barrio La Vega, ¿se puede saber? –le pregunta al oído.

–Se llevaron también a don Chente Alvarado, el médico... –se apresura a decir María Elena.

–¿Y usted cómo se enteró? –inquiere Belka con sorpresa.

–Yo acompañé a doña Cecilia a su consultorio. Ella sufrió una especie de síncope en su habitación mientras yo estaba almorzando con tu tía Ana. Y cuando llegamos a Clínicas Médicas se lo acababan de llevar...

Belka parece desconcertada. Enseguida murmura:

–El doctor Alvarado estaba operando a un subversivo que había sido herido en un enfrentamiento, por eso lo capturaron. La noticia se regó de inmediato en los hospitales. No comprendo qué hacía ese médico atendiendo a un subversivo sin haberlo reportado antes a las autoridades –agrega, represiva.

–¿Y ya lo liberaron?

Dice que aún no, pero su tono es severo, como si estuviese de acuerdo con el hecho de que don Chente haya sido capturado por atender a un subversivo herido.

Un paciente sufre un acceso de tos. Belka se da la

vuelta: es el que yace enfrente, en la cama del fondo. Desde su posición, María Elena apenas puede verlo.

–¿Y Joselito? –pregunta con un temblor en la voz.

–Llamé a casa para contarle que usted había sufrido un accidente, pero aún no había llegado.

El ataque de tos se agrava con arcadas.

–Ya la va a palmar ese don... –dice el otro paciente de enfrente.

Belka se dirige adonde el que tose. Luego sale a llamar a una colega.

¿Cómo se enfrentará a su nieto después de saber lo que ella sabe? Dios santo. Debe convencerlo de que abandone esas actividades. Pero, ¿y si ella se equivoca y no era Joselito? El recuerdo del intercambio de miradas le produce un escalofrío.

Belka regresa acompañada por la enfermera chaparrita. El hombre ha dejado de toser, pero respira ruidosamente.

Belka se desentiende y vuelve junto a la cama de María Elena.

–¿Desde qué horas estás aquí, hijita?

–Me vine en carrera en cuanto me avisaron –dice Belka y observa su reloj de pulsera–. Eran como las cuatro y media... Estábamos preocupados de que no volviera en sí.

El paciente padece un nuevo acceso de tos.

–Ya deberías irte –dice María Elena–. Se te va a hacer tarde. Y la calle está peligrosa para andar de noche en medio de tanto tiroteo. Yo aquí voy a estar bien. No te preocupés.

Belka permanece pensativa; luego dice:

–Lo que no entiendo es por qué ese policía la agredió.

–Tampoco yo –solloza María Elena–. No quiero ni acordarme... La mala suerte, hijita. Conmigo se desquitó la rabia.

–¿Pero usted qué hacía ahí? –insiste, con necedad.

–Iba de paso, cuando me encontré con la molotera alrededor del hombre al que acaban de dispararle –dice María Elena cerrando los ojos, como si de pronto le ganara el agotamiento.

A Belka se le escapa una mueca de suspicacia.

–Está muy mal –le comenta la enfermera chaparrita a Belka, refiriéndose al hombre que tosía, y luego sale de la habitación.

–Cuando se recupere me contará en detalle –dice Belka–. Ahora tengo que irme. Trate de descansar. Vendré mañana temprano, antes de que la trasladen de habitación.

Una parte de ella desea que Belka permanezca a su lado, que no la deje sola en esa sala, pues aún teme que algo malo pueda sucederle, como que el gordo zarco reaparezca para rematarla; pero otra parte de ella da gracias de que Belka se vaya, pues nunca ha podido mentirle y con la preguntadera terminará confesándole las razones por las que visitaba al Vikingo y, Dios no lo quiera, las correrías en que se ha involucrado Joselito.

Belka se inclina y la besa con mucho cuidado en la mejilla derecha.

–Perdió sangre por la herida en el rostro –le dice–. Tiene que descansar y recuperarse.

La ve salir, con el garbo en el andar que tiene desde que era una chiquilla. Y entonces siente de nuevo ganas de llorar, como si estuviese íngrima. Gira sus ojos hacia su vecina: ésta sigue inconsciente, con la mascarilla de oxígeno cubriéndole el rostro. ¿Qué habrá sido del Vikingo? Ojalá logren salvarlo.

Se recrimina no haberle pedido a Belka que llamara para preguntar por el estado de salud de doña Cecilia, para saber si ya pusieron en libertad a Albertico y a Brita. Se lo pedirá mañana.

7

Joselito se baja del autobús en la parada frente al pequeño redondel. Viene tranquilo: la operación para desocupar la casa de seguridad salió limpia; él estuvo destacado a una cuadra de distancia, afuera de la tiendita frente a la bocacalle, bebiendo una gaseosa, con los auriculares del walkman en sus oídos, aunque sin encender la casetera, haciéndose pasar por el chico que espera a su chica, pero atento al menor movimiento, y con la orden de que si el enemigo aparecía diera un chiflido, los dejara pasar unos veinte metros, luego los atacara por la espalda y que escapara por la barranca a como diera lugar. Por suerte no hubo problema. Y el Chato se llevó la nueve milímetros.

Avanza por la acera. El alumbrado público es débil, causa penumbra; pero aún es temprano y hay gente en la calle.

¿Qué le dirá a su abuela?

Se hará el loco, el suizo, como si no hubiese sido él, como si no se hubiesen reconocido, como si a esa hora él hubiese estado metido en un aula en la universidad. Quizá ella tampoco quiera hablar del asunto. Sería lo mejor.

Llega a las escaleras que suben por el terraplén hacia los edificios. La basura se acumula fuera de los depósitos.

Le hace falta la pistola bajo la falda de la camisa. Le dijo al Chato que le permitiera quedarse con ella, pero éste le replicó que aún no, que la orientación es que las armas estén en manos de aquellos que hayan pasado por completo a la clandestinidad y vivan en casas de seguridad.

Se encuentra a la Trini, la hermana menor de Gloria.

–¿Qué ondas? –le dice.

–Hola –dice ella–. ¿De la universidad?

–Ajá.

–Gloria dice que te vio hoy en un cafetín de la universidad y vos no la quisiste saludar. Todo creído.

–No es cierto –se defiende Joselito–. Lo que pasa es que ella estaba con una amiga... ¿Adónde vas?

–A la tienda –dice ella, coqueta.

–Nos vemos.

A Joselito no le atrae.

¿Y si su abuela lo enfrenta? Puede oírla diciéndole que la violencia no es el camino, que por favor no arriesgue su vida, que se dedique a terminar sus estudios. Pero al final lo entenderá, se pondrá de su lado, con suerte hasta puede reclutarla. Y lo más importante: él está seguro de que su abuela no le contará nada a su madre.

El edificio tiene cuatro pisos, en cada piso hay cuatro apartamentos, unidos por un corredor abierto, en forma de balcón, que se puede ver desde la calle. Las escaleras están en la parte central del edificio y lo dividen en dos. Su abuela, su madre y él viven en el cuarto piso, en el segundo apartamento a la derecha al salir de las escaleras. Una docena de edificios similares con apartamentos similares se desparraman en ringleras pasando el terraplén.

Eso es: aprovechará para reclutar a su abuela. Ella siempre escucha las homilías de monseñor Romero y se muestra indignada ante las masacres de campesinos y la represión en las calles. Después le informará al Chato.

Echa una ojeada rápida hacia la entrada del edificio. La situación no está como para confiarse.

Luego alza la vista: no hay luz en el apartamento.

Qué raro. Su abuela tendría que estar viendo la televisión. Quizá ha ido a la tienda o a visitar a una vecina.

Se despabila. Echa un vistazo al recodo de las escaleras. Sube despacio, cautelosamente, con sus sentidos alertas, excitados, hasta percibe el aire fresco en sus mejillas.

Mierda, él tenía razón: el Chato debió haberle dejado la pistola.

¿Y si mejor regresa a la calle a llamar a su abuela desde el teléfono público?

No quiere que lo embosquen desarmado; el apartamento es una ratonera.

Vuelve sobre sus pasos con la misma cautela. Y se dirige hacia la tienda que está al otro lado de la calle, en otro edificio.

Se encuentra de nuevo con la Trini, quien trae una gaseosa y una bolsa de pan.

–¿No viste a mi abuela en la tienda? –le pregunta–. No está allá arriba.

Gloria y Trini viven en el primer piso y cuando tienen la puerta abierta se enteran de quién sube y quién baja.

La Trini le dice que no y sigue su camino.

No le hace gracia la posibilidad de perder una moneda de veinticinco centavos en el teléfono público. La mesada que le da su madre para transporte y otros gastos es reducida.

Desde la esquina observa el apartamento, el corredor, las escaleras.

¡Quizá su abuela ha apagado las luces para alertarlo!

Pero si el Cabezón no dio el soplo de la casa de seguridad, tampoco puede delatarlo a él; no conoce esta dirección. ¿Y si ya lo están siguiendo?

Mete la moneda. El teléfono da línea. Marca. Timbra y timbra, pero nadie responde. Presiona el botón de metal para que le regrese la moneda. Nada. Le pega uno, dos, tres golpes con el puño cerrado. Nada. Siempre sucede lo mismo. Ladrones hijos de puta.

Se ha decidido a subir al apartamento cuando ve que un auto se detiene frente al terraplén del edificio. Un hombre de bigote, lentes de carey y chaqueta blanca de doctor está al volante; su madre, con su uniforme de enfermera, en el asiento del copiloto.

Joselito retrocede y se oculta tras unos arbustos.

El hombre ha apagado el motor y las luces del auto; conversa con su madre, quien no parece estar pronta a bajarse.

No es la primera vez que Joselito ve a ese hombre conducir a su madre a casa. Es el doctor Barrientos. Ella se lo presentó en una ocasión, varios años atrás, cuando él apareció mientras ellos conversaban dentro del auto.

El doctor Barrientos nunca ha subido al apartamento.

De hecho, ningún doctor de los que a veces conducen a su madre a casa ha subido nunca al apartamento. Como si ella pusiera una infranqueable frontera entre sus jefes y su vida privada.

Joselito voltea hacia el apartamento, a ver si una luz ha sido encendida, pero sigue a oscuras.

Barrientos y su madre continúan conversando.

Cuando era más chico, cada vez que veía a un médico traer a su madre, Joselito preguntaba si no se trataría de su padre. Hasta que ella le dijo de mala manera, exasperada, que se sacara de la cabeza esa idea, que él no tenía padre, al igual que ella tampoco tenía padre, que los padres servían para una mierda. Fue su abuela la que más tarde, a solas, le explicó que su padre había sido un romance de juventud de su madre, un extranjero a quien su abuela nunca conoció y de quien su madre nunca habló. Entonces Joselito le preguntó quién era el padre de su madre, su abuelo pues, ante lo cual su abuela enmudeció un largo rato, hasta que finalmente dijo que ésa era una historia que ella jamás había contado ni contaría.

El doctor Barrientos ha encendido el auto. Su madre abre la puerta y sale, sin darle un beso ni la mano. Ella es así: distante, considera las muestras de cariño en público como una debilidad.

Su madre cruza la calle, sube el terraplén y enfila hacia las escaleras.

Joselito permanece tras los arbustos.

El doctor Barrientos ha encendido las luces. Observa a su madre con una mezcla de lascivia y satisfacción, pero no arranca sino hasta que ésta entra al edificio.

Joselito la observa subir las escaleras, recorrer el pasillo y abrir la puerta. Ha encendido las luces.

Deja pasar un minuto. ¿Dónde estará su abuela?

Se encamina hacia el edificio.

Entonces el corazón se le acelera: Gloria viene a su encuentro.

8

Belka abre la puerta. Joselito no ha llegado aún. Es la tercera vez en los últimos días en que él regresa muy tarde a casa. Ni siquiera se ha enterado de que su abuela está en el hospital.

Enciende las luces, tira su cartera sobre el sillón y se dirige al baño.

El doctor Barrientos le ha dicho que la comisión de contrataciones no pudo reunirse esta tarde, pero lo hará mañana temprano, que él está seguro de que ella será contratada, sólo falta que se cumpla el procedimiento.

Orina con largueza; comprueba con molestia que la infección vaginal ha regresado.

Suerte que el doctor Barrientos andaba con prisas. Ha sido su amante eventual durante los últimos diez años. Pero ya se está haciendo viejo. Cada vez se van con menos frecuencia a la cama. Pronto, ojalá, ya no tendrá que sufrirlo.

Decide tomar una ducha rápida: ha sido un día largo y caluroso, el accidente de su madre le causó mucha angustia y se siente pegajosa, con un incipiente olor agrio en las axilas.

Dos meses atrás, el doctor Barrientos fue nombrado subdirector del Hospital Militar. Enseguida se comunicó con ella: le dijo que se abriría una nueva plaza de supervisora, que ella debía aplicar y él se encargaría de apoyarla. Desde entonces le enfatizó que, además del conocimiento y la experiencia profesional, lo más importante es la lealtad, que nadie de su círculo cercano esté vinculado con la subversión, porque el Hospital Militar es una institución adscrita a la Fuerza Armada y ésta se encuentra en una lucha a muerte contra el movimiento subversivo.

Se desviste. Con un mohín de disgusto, se toca la pequeña lonja que se le ha formado sobre la cintura, se revisa la várice que se expande tras la rodilla derecha. Pero luego se soba con orgullo sus pechos aún erguidos, su trasero redondo y sus muslos macizos.

Se pone la gorra plástica para no mojarse el cabello.

Ella le ha asegurado al doctor Barrientos que nadie de su familia ni de sus amistades se mete en política, mucho menos en apoyo a la subversión. Ni le ha mencionado ni le mencionará que su madre escucha las homilías de monseñor Romero, ni que critica las acciones policiales contra los campesinos que vienen a alborotar la ciudad; tampoco se ha referido ni se referirá a los encontronazos que tiene con Joselito cada vez que hablan de política. Al final, su madre y su hijo sólo tienen opiniones equivocadas, pero no se meten en nada.

Abre la ducha.

No podrá hablar con su madre sobre su nuevo empleo hasta que le den de alta en el hospital; no es prudente preocuparla. Pero lo hará de una vez con Joselito esta misma noche.

Se entretiene restregándose las axilas.

Entonces escucha que alguien abre la puerta.

–¿Sos vos, hijo? –pregunta sin cerrar la ducha.

Joselito le responde que sí, que vino hace rato pero no encontró a nadie, por lo que se fue abajo a conversar con los amigos. Enseguida pregunta por su abuela.

—Sufrió un accidente... Está en el hospital —le dice ella—. Ahorita salgo.

Se restriega rápidamente la entrepierna, se enjuaga y cierra la ducha.

—¿Qué le pasó? —ha preguntado Joselito con alarma tras la puerta.

—Le dieron un golpe en la cara —dice ella mientras toma la toalla; se seca el cuerpo con movimientos rápidos.

—¿Cómo?...

—No me quedó muy claro. —Se envuelve en la toalla, se quita el gorro de plástico—. Iba pasando por un lugar donde había una trifulca y alguien la golpeó. La llevaron al Hospital Rosales.

Es lo mismo que le dijo al doctor Barrientos: una vaguedad. No iba a contarle que a su madre, por mirona, luego de un atentado terrorista, un policía le pegó un cachazo en el rostro. ¿Qué andaba haciendo ella ahí?, le pudo haber preguntado el médico.

Abre la puerta.

—Volteá para el otro lado, hijo, que dejé la ropa en la habitación —le dice antes de salir envuelta en la toalla.

Joselito le ha dado la espalda.

El apartamento es muy chico: tiene una estancia donde se apretujan la salita, la mesa redonda del comedor con tres sillas y la cocina; un pequeño baño, y dos habitaciones, una de Joselito y la otra la comparten ella y María Elena.

Se pone una blusa y un pantalón holgados. Siempre viste así, con ropa que no le ciña el cuerpo.

–Pero, ¿cómo está? ¿Se recuperará pronto? –pregunta Joselito desde la estancia.

Ella le dice que pudo haber sido peor y enseguida le da los detalles del estado de María Elena, lo que dijo el doctor, lo que le parece a ella.

Sale de su habitación.

–¿Ya cenaste?

Joselito responde que no, con una mueca de preocupación, de angustia, que ella pocas veces le ha visto. Se ha dejado caer en el sofá, despatarrado, como abatido.

–¿Y dónde fue que la agredieron?

Ella ha abierto el refrigerador.

–Por el barrio La Vega –dice mientras saca la olla con los frijoles.

Joselito se incorpora de pronto, muy agitado, y mira por la ventana hacia la calle, de espaldas a ella.

–¿Qué habrá andado haciendo por ahí?

–Venía de trabajar de donde el nieto de don Pericles y doña Haydée –le explica ella–. Mañana tempranito iremos a verla.

Pone la olla sobre la hornilla. Toma un sartén del trastero, lo coloca sobre la otra hornilla y le echa aceite. Luego saca el cartón de huevos del refrigerador.

–¿Querés plátano o sólo huevos y frijoles?

Joselito sigue de espaldas a ella, viendo a través de la ventana, como si algo estuviese sucediendo abajo en la calle.

–De todo –masculla.

–Y se los llevaron –murmura ella.

–¿Qué dice?... –reacciona Joselito, despabilándose–. ¿A quiénes se llevaron? –pregunta mientras se acerca a sentarse a una silla del comedor.

–Al nieto de don Pericles y a su mujer. Es lo que le dijeron a tu abuela. Hombres armados –masculla.

Saca un plátano maduro de una cesta, lo pela y enseguida lo corta en tajadas.

Joselito la observa, sin hacer comentarios.

–Estoy casi segura de que esos muchachos eran comunistas, como don Pericles. –Coloca los plátanos en el sartén donde hierve el aceite; luego hará los huevos–. Se lo advertí a tu abuela. La cosa está muy fea. Hay que tener cuidado... Y a propósito, tengo algo que contarte...

Guarda silencio un momento.

Le da vuelta a los plátanos con la espátula.

–¿Qué cosa? –pregunta Joselito.

–Me voy a cambiar de empleo, a uno mejor –lo dice de forma rápida, sin mirarlo–. Seré supervisora. Ganaré casi el doble.

–Qué buena noticia... –exclama Joselito, atento.

–No se lo he contado aún a tu abuela –le dice mientras toma del trastero platos y cubiertos y los coloca sobre la mesa–. Pero voy a necesitar el apoyo de ustedes...

Joselito la ve con un gesto de interrogación.

–Ya deberías cortarte ese cabello, niño. Lo tenés muy largo. Pronto parecerás drogadicto o ladrón...

–Otra vez usted con lo mismo –dice Joselito.

–Si todo sale bien, pronto tendremos para dar el enganche para un carro y también nos alcanzará para matricularte en una universidad privada...

–¿Para qué? –dice Joselito con fastidio–. En la Universidad Nacional estoy bien y es gratis...

–Pero ahí se la viven en el relajo político y no saldrás lo suficientemente preparado ni tendrás las mismas oportunidades –dice ella mientras remueve los frijoles en la olla.

Sirve los plátanos y en el mismo sartén, sin cambiar de aceite, prepara los huevos fritos. Enciende otra hornilla, coloca el comal para calentar tortillas. Se mueve con precisión, de forma automática.

Joselito permanece abstraído.

–Y mi sueño es que gracias a mi nuevo cargo y a trabajar en una institución importante lograremos el crédito para comprar una casita, que ya en este apartamento no cabemos.

Sirve huevos y frijoles en cada plato, envuelve un par de tortillas en una manta para mantenerlas tibias y pone más en el comal. Le ordena a Joselito que sirva el fresco de tamarindo que está en un pichel en el refrigerador.

–Lo importante es que vos no me vayás a quedar mal... –sentencia ella mientras toma asiento.

–¿Y yo por qué? –protesta Joselito mientras sirve el fresco en vasos de plástico.

–Porque vos sos el que está más expuesto en esa universidad –dice ella empuñando el tenedor–. No quiero que te metás con nadie que pueda resultar subversivo. Debés tener mucho cuidado. Dedicate nada más a tus estudios. Y dejá de andar opinando sobre cosas peligrosas que no te importan. Si vos te metés en tonterías, yo perderé el empleo...

Joselito la mira con desconcierto. Y le pregunta:

–¿Y dónde va a trabajar, pues?

–En el Hospital Militar –dice ella dándose la vuelta para remover las tortillas.

9

Es noche profunda cuando María Elena oye ruidos a su lado, como si movieran la cama de la anciana. Permanece en la duermevela un momento; luego vuelve a caer dormida.

Despierta en la madrugada. No tiene idea de la hora, pero cree percibir el frescor que precede al amanecer. El dolor de cabeza ha disminuido hasta convertirse en un punto temblante en la parte posterior de su cerebro. Oye una respiración pesada a su lado. Seguramente han traído un nuevo paciente en vez de la anciana. Se reacomoda para tratar de ver. Parece un hombre, pero la luz es escasa.

Dormita un rato más hasta que oye entrar a una enfermera. Es la misma chaparrita, con la amargura en el rostro; quizá hace su última ronda antes de terminar su turno de doce horas, como tres veces a la semana le toca a Belka.

—Despierta tan temprano... ¿Cómo se siente?

Responde que muy bien, mucho más lúcida, sin dolor de cabeza.

—Mi compañera del siguiente turno le traerá el desayuno: puros líquidos, porque no debe masticar nada hasta que el doctor la autorice. Después la sacaremos de cuidados intensivos y la conduciremos a una habitación normal.

—¿Y se llevaron a la señora? —pregunta María Elena, tratando de señalar con una mueca hacia donde estaba la anciana—. ¿Qué le pasó?

La enfermera hace un gesto de resignación y se persigna. Luego dice:

—Pero tiene un nuevo vecino...

María Elena trata de enfocar por el rabillo del ojo.

La enfermera gira la manivela para levantar un poco el respaldo de la cama.

La luz del amanecer ilumina la habitación.

María Elena se ha quedado boquiabierta.

—¿No lo reconoce? —pregunta la enfermera.

¡Virgen santísima!

—Es el hombre al que balearon antes de que usted sufriera la agresión —le explica la enfermera, como si ella no supiera de quién se trata.

—¿Cómo se encuentra?

—Se desangró mucho —dice en corto, casi al oído—. Le metieron dos tiros.

—¿Sobrevivirá?

La enfermera se encoge de hombros.

—Tuvo suerte: el balazo del pecho se fue limpio, sin tocarle el corazón ni los pulmones; pero el que le perforó los intestinos es grave. Parece que él ya estaba muy mal, según dijo el cirujano. ¿Usted lo conocía de antes?

María Elena dice que no, pero que le rezará a la Virgen para que se salve.

La enfermera hace una mueca de sorna antes de voltearse para revisar al Vikingo.

—¿Cree que despierte pronto? —pregunta María Elena, alarmada, porque no quiere ni imaginarse la que se le armaría si el Vikingo está despierto cuando Belka pase a visitarla... ¡o Joselito!

La enfermera de nuevo se encoge de hombros y se dirige al pasillo.

Ojalá Belka no se entere de la identidad del nuevo paciente, que venga deprisa y no tenga tiempo para chismear con sus compañeras. Bueno, trata de tranquilizarse, si el hombre permanece inconsciente no habrá problema.

Observa con detenimiento al Vikingo: el perfil cortado contra la luz opaca, unas sondas que salen de su vientre hacia el otro lado de la cama, la respiración ruidosa. Pobre hombre: el tiro le tuvo que pegar precisamente en las tripas. Lo sorprendente es que esté vivo.

Trata de dormitar un rato. Pero la presencia del Vikingo a su lado le ha producido un intenso estado de desasosiego, como si en ese hecho hubiera un mensaje escondido que ella debe descifrar. Intenta pensar en otra cosa, relajarse. Se pregunta cuándo fue la última vez que estuvo ingresada en un hospital: descubre con satisfacción que desde que nació Belka no había estado internada; su salud ha sido de hierro. Entonces la idea de que el gordo zarco vendrá a visitar al Vikingo le produce un ataque de pánico. Se santigua. Pedirá que la saquen de inmediato de esa habitación, ella ya no tiene por qué estar en cuidados intensivos.

10

Cada día, al amanecer, la gorda Rita sale de la casucha para traer agua del grifo ubicado veinte metros hacia arriba, a un lado de la vereda de tierra. Hace fila, habla con los vecinos que también esperan su turno, llena los dos baldes y enseguida regresa caminando con mucho cuidado; la tierra es resbaladiza y ya una vez se cayó, se torció un tobillo y derramó el agua. Debería enviar a Marilú, como hace la mayoría de vecinos con sus hijos, pero no vaya a ser la mala suerte que se encuentre con Sergio, el viejo malandrín.
Entra a la casucha con los baldes.
−¿Ya estás lista, niña? −le dice a Marilú, quien aún permanece en el catre escuchando la radio.
La casucha tiene una sola habitación de muy po-

cos metros cuadrados, donde se apretujan el catre en que ambas duermen, una mesa, dos sillas, una estufa de gas de dos hornillas y cajas con ropa, trastos y alimentos. El piso es de tierra, las paredes de retazos de madera y el techo de lámina. Una puerta da a la vereda y la otra a un pequeño espacio, donde está la fosa que les sirve de sanitario y también la pila compartida con otras tres casuchas que se amontonan en ese recodo de la ladera.

La gorda Rita echa agua en un perol y lo pone en la hornilla. No sale sin tomar su café soluble; luego en el comedor desayunarán en forma mientras atienden a los primeros clientes.

–Apurate –increpa a Marilú.

Ésta se pone el vestido organdí.

–Mejor ponete el pantalón y la blusa, que así sólo servís para insolentar a los hombres –le dice la gorda Rita.

–Deje de molestar –dice Marilú y sale con un balde de agua hacia la pila.

Si toman el bus a las seis, logra abrir el comedor a las seis y media. A veces se atrasa por estar correteando a Marilú; nunca llegan antes.

Marilú regresa cepillándose el cabello.

–Vámonos –ordena la gorda Rita.

Salen de la casucha.

Apenas ha clareado y ya hace calor.

La gorda Rita cierra la puerta con candado.

Enfilan vereda arriba, entre el panal de casuchas, hacia la calle.

La gorda Rita camina deprisa, con sofoco, como si la vinieran siguiendo y le faltara el aire. Tiene treinta y nueve años, pero parece mayor. Viste el mismo vestido a rayas del día anterior; calza chancletas de hule. Se agarra la cabellera maltratada en una cola de caballo. Y el escapulario del Cristo Negro de Esquipulas cuelga sobre sus pechos de una cadena barata.

Marilú nunca le puede sostener el paso; se va quedando rezagada hasta que la gorda Rita la espera apurándola a gritos. La chica estudió el primer año de secundaria, mientras la gorda Rita tuvo su negocito a la entrada de la vereda que baja por ese sector de la zona marginal; pero, una vez que abrieron el comedor cerca del Palacio Negro, se la llevó consigo, para protegerla del malandrín de Sergio, que la rondaba con la intención de preñarla y luego meterla quién sabe en qué prostíbulo. Ya habrá oportunidad más adelante de que la chica siga estudiando.

La gorda Rita alcanza la acera, jadeando; aprovecha para tomar aire, la vereda es empinada, saluda a un par de vecinos y espera a Marilú. Se apoya en la caseta donde ella montó su venta de tortillas tres años atrás. Le iba tan bien que enseguida comenzó a vender almuerzos, hasta que hace unos seis meses apareció Leandro, su hijo mayor, y le dijo que él le daría el dinero para que ella estableciera un comedor en el centro de la ciudad, en un local que él ya había encontrado, a inmediaciones del Palacio Negro, el cuartel de la policía. Entonces ella le cedió la caseta a la niña Chon.

Cruzan la calle hacia la parada de buses.

–¡Corré, niña, que ahí viene la veintidós! –le grita la gorda Rita a Marilú y acelera el paso.

Pero el autobús no se detiene.

Varios de los que esperan lanzan insultos al motorista.

Ellas pueden tomar la ruta 1, la 22 o la 26, cualquiera las deja a cinco cuadras del comedor.

Entonces la gorda Rita descubre a Leandro detrás del poste de la parada, vestido con saco y corbata, como si fuera oficinista, pero con un corte de cabello y unos anteojos que hacen difícil reconocerlo. Nunca lo había visto con ese disfraz.

De inmediato ella se voltea y le toma la quijada con una mano a Marilú mientras que con la otra le limpia la comisura dc los ojos, como si tuviese lagañas.

–Ni te lavaste la cara –le reprocha.

La chica se desprende.

–Deje de molestar –le dice con un mohín de desprecio–. Yo estoy limpia.

La gorda Rita toma el escapulario de su pecho y le da un beso. Lo hace de forma automática, como si con ese gesto se fuera a disipar su angustia.

¿Qué habrá pasado, Dios mío?, se pregunta.

Ella permanece de espaldas a Leandro, cubriéndolo de la mirada de Marilú, quien de todas formas no lo reconocería; su hijo se largó cuando la niña tenía cuatro años, ésta sólo lo conoce de referencia, como el hermano mayor que vive en Estados Unidos.

La media docena de hombres que esperan en la parada lanzan furtivas miradas lúbricas a Marilú, quien se hace la desentendida. La gorda Rita permanece en guardia.

Aparece una ruta 26.

El autobús se detiene traqueteando. Ya viene bastante lleno. Los usuarios se apelotonan en la puerta de entrada. Ella empuja hasta que se abre paso; trae a Marilú tomada de la mano a sus espaldas.

Ella sabe que Leandro no la abordará, que está ahí nada más como una señal, para que ella se presente al sitio acordado.

Logran avanzar hasta quedar apisonadas en el pasillo, a la altura de los primeros asientos.

El autobús arranca, con dos pasajeros casi colgando de la puerta. No logra ver a su hijo.

Ella lo tuvo cuando era una chica de catorce años, como Marilú ahora. Después vino el otro, Ramón, y el otro, Calín. Cada uno de distinto padre. No quiere recordar.

Pero Leandro siempre fue diferente. Logró terminar la primaria cuando vivían en un asentamiento allá por Ilopango. Luego se esfumó. Apareció varios años después: trabajaba en la fábrica de bebidas gaseosas y ya estaba metido en lo del sindicato. Luego desapareció del todo. «Estoy viviendo en San Francisco, en Estados Unidos», le dijo la siguiente vez que volvió a verlo, pero ella sabía que no era cierto. Y desde entonces se ha convertido en ese fantasma que aparece cuando quiere, como quien sale de las catacumbas, cada vez con distinto atuendo, irreconocible. A veces le parece un extraño, no el hijo que salió de sus entrañas.

El autobús va tan repleto que se pasa de largo las siguientes dos paradas. Los pasajeros que quieren bajar protestan, insultan al conductor. Un tipo aprovecha para restregarse por atrás en Marilú; ésta se queja.

–¡Cochino! –le dice la gorda Rita, con ferocidad, a punto de abofetearlo; ella trae el cuchillo filudo en el bolso de mano.

El autobús se detiene en el redondel del Teatro de Cámara.

Un par de pasajeros dejan libre el asiento junto a ellas. La gorda Rita maniobra rápidamente y logran sentarse.

El cochino se ha corrido hacia la parte trasera del pasillo. La gorda Rita cabecea hasta dar con él: le lanza otra mirada de odio. Habría que matar a todos estos malditos. Lo que más teme es que a Marilú le suceda lo que le sucedió a ella, que la preñen a los trece años y luego la obliguen a hacerse puta.

El autobús avanza raudo por la avenida España.

Ella logró escapar del burdel y rehacer su vida; la mayoría de sus compañeras, no. Por eso no se despega a Marilú de su lado. Está en la edad más peligrosa.

¿Qué habrá sucedido? Cuando Leandro le dio el dinero para montar el comedor, le explicó que ese dinero él lo había conseguido con mucho trabajo en Estados Unidos, que eso debía repetir ante los dueños de la casa que le rentarían la cochera donde instalarían el comedor, ante los vecinos y ante los clientes: que él le había enviado el dinero desde San Francisco. Y luego le presentó a doña Lorena, una contadora que le ayudaría a ordenarse, a conseguir la licencia en la alcaldía, a abrir la cuenta bancaria y quien le entregaría más ayuda hasta que el negocio pudiera mantenerse por sí mismo.

El autobús se detiene frente al Colegio María Auxiliadora, donde vuelve a llenarse a reventar. Y enseguida baja a todo motor la cuesta hacia el mercado San Miguelito.

La gorda Rita no podía creerlo, su hijo había caído del cielo: por fin ella podría tener un negocito en regla y prosperar. La única condición que Leandro le había puesto era que ella debía darle a doña Lorena toda la información que ésta requiriera, no sólo contable sino sobre los clientes; la contadora llegaría al menos una vez a la semana o cuantas veces fuera necesario. La gorda Rita le dijo que por supuesto, ella no dejaría pasar esa oportunidad, y aunque comprendía que su hijo estaba involucrado a saber en qué asuntos turbios, no dudó en correr el riesgo.

Y ahora Leandro aparecía tal como se lo había advertido: si alguna vez hay algún problema o necesito con urgencia hablar con usted, me le apareceré temprano en la mañana, por nada del mundo vaya a hablarme o hacer un gesto de reconocimiento, sino que esa misma mañana la veré a las nueve en la iglesia del Rosario, cerca de los confesionarios.

El recuerdo de doña Lorena preguntándole detalles sobre el Vikingo y los otros detectives logra abrirse paso en su mente. Una correntada de miedo le perla la frente. Ella sacude la cabeza, como si le hubiera caído agua encima, como si de esa manera pudiera deshacerse de lo que intuye, de lo que no quisiera saber.

Se pregunta qué hará con Marilú mientras ella va a la iglesia. No se le ocurre otra opción que dejarla sola en el comedor, aunque con la puerta trancada.

11

Oye el sonido de ruedas sobre las baldosas. Ya es hora de que le traigan el desayuno.

Una enfermera, a la que ve por vez primera, entra con una bandeja.

–Buenos días –la saluda María Elena.

Pero la enfermera observa al Vikingo y se queda estupefacta, con la expresión de quien no da crédito a sus ojos.

–¿Qué le sucede?

–No, nada, señora. Buenos días –balbucea, tratando de aparentar normalidad; es muy joven, menuda, trigueña y con acné en el rostro.

Esta niña sabe algo, Dios mío. Está que se muere del susto.

La enfermera acomoda la bandeja al brazo de la cama.

–Usted ya lo conocía, ¿verdad? –le dice María Elena en un cuchicheo mientras la enfermera gira la manivela para incorporar un poco más el respaldo.

Niega con un movimiento de cabeza, temerosa, como si la hubiesen descubierto cometiendo una grave falta.

María Elena le hace una señal para hablarle al oído.

—Es un viejo detective de la policía. Los guerrilleros trataron de matarlo. ¿Dónde lo había visto usted con anterioridad?

—No lo conozco —dice la enfermera, aún asustada, y enseguida trata de cambiar de tema—: Tome su desayuno despacio. A ver cómo reacciona su estómago. Cuando termine la llevaré a otra habitación.

—No tengo hambre —dice María Elena—. ¿Por qué no me lleva de una vez?

—Hay que esperar a que la desocupen. El hospital está repleto.

—Se lo ruego... —gime con la corazonada de que puede confiar en esta chica—. Yo iba pasando después de que le dispararan —musita tornando los ojos hacia donde el Vikingo— y uno de sus compinches fue el que me golpeó en la cara. En cualquier momento ese gordo zarco vendrá a visitarlo, y si me descubre me hará daño...

La enfermera ha palidecido.

—Veré si su sitio ya está listo... —murmura tomándose las manos con angustia y da media vuelta.

María Elena pela los ojos de asombro.

La enfermera casi se ha dado de bruces con Belka y Joselito.

¡Virgen santísima!

Toma el vaso de leche y se mete con dificultad la pajilla en la boca. No quiere que le noten la agitación.

–Buenos días –saluda Belka, adelantándose–. ¿Cómo amaneció?

Nunca supuso que su nieto viniera tan temprano. ¡Lo que sucedería si el Vikingo despierta o, peor, si el gordo y el Chicharrón vienen de visita!...

–Hola, abuela –dice Joselito desde el pie de la cama, con sus rizos negros y colgantes cubriéndole parte de sus mejillas blancas.

Les dice «buenos días» mientras devuelve el vaso a la bandeja.

Prefiere no mirarlo a los ojos; Belka podría descubrir algo, es tan suspicaz. Pero no puede evitar echarle una ojeada: en ese instante Joselito se ha fijado cn el Vikingo, aguza la expresión y disimula su sorpresa.

¡Lo ha reconocido, Dios mío! Ahora a ella no le cabe la menor duda: su nieto es otro; ya no podrá contemplarlo nada más como el muchacho inocente de diecinueve años dedicado a sus estudios de ingeniería.

Belka le pregunta sobre el dolor en la cabeza y en el rostro. Luego le dice que estarán poco rato. No es hora de visita, mucho menos a la sala de cuidados intensivos. Los han dejado entrar porque ella es enfermera y conoce a la supervisora, pero les han autorizado unos pocos minutos.

Belka comenzó su carrera en este hospital público, veinte años atrás, cuando apenas era una pasante. Pronto logró, por suerte, que la contrataran en una clínica privada.

Joselito no se ha movido del pie de la cama, con la mochila al hombro y una expresión que ella no le conocía. Viste el mismo pantalón de lona negra, pero ahora una camisa celeste. ¿Llevará en la mochila la cachucha de beisbolista y el pañuelo con el que se emboza o los tendrá guardados en la universidad? ¿Y la pistola? Virgen santísima...

María Elena les anuncia que en un momento la conducirán a otra habitación, que la enfermera que acaba de salir ha ido a ver si el lugar ya está listo.

–Este hospital está cada vez más mugroso –dice Belka observando a su alrededor. Luego se fija en el Vikingo–: Se ve muy mal –comenta, sin preguntar por la señora del oxígeno.

Gracias a Dios no le han contado de quién se trata.

Joselito se excusa: dice que debe irse enseguida, pues tiene un examen en la primera clase matutina y apenas llegará a tiempo. Promete que vendrá a las seis de la tarde, que es la hora de visita, y entonces se quedará todo el rato con ella. Se acerca a besarla en la frente.

–Gracias por venir, hijito. Cuídate mucho –le dice con aprensión. Siente como si una corriente extraña, perversa, fluyera entre ella, Joselito y el Vikingo.

La mirada de su nieto es cristalina: le está pidiendo complicidad, silencio.

Quizá ella sea la culpable de que Joselito se haya involucrado con los revolucionarios. No se le había ocurrido. De tanto hablar de las andanzas políticas de don Pericles ha calado en su nieto. Es lo que le achacaría su hija si se enterara. Padece un acceso de culpa.

Da gracias de que el muchacho vaya de salida. No pierde de vista que el Vikingo podría despertar inesperadamente. Ojalá la enfermera regrese pronto para trasladarla.

¡Dios santo! Se fue de boca con la enfermera... Ruega que ésta no le vaya a comentar a su hija nada sobre el Vikingo.

Belka sostiene el vaso de leche y le coloca la pajilla en la boca; dice que se quedará para ayudar a trasladarla a la nueva habitación.

–Si querés, mejor andate, hija –dice soltando la pajilla con cierta premura–. La enfermera dijo que no estaba segura si ya está listo el sitio en la habitación a la que me moverán. No quiero que llegués tarde a tu trabajo por mi culpa.

Belka dice que su jefe ya está enterado del accidente, que ella puede atrasarse un rato sin problema.

Termina de beber la leche.

–¿Cuánto tiempo creés que permaneceré internada?

Belka responde que quizá dos días, el doctor dirá, con la entonación de quien está acostumbrada a hablar con vaguedad a los pacientes.

En eso llega la enfermera, un poco agitada, con el acné que la hace parecer como adolescente, y les informa que aún habrá que esperar una media hora para el traslado. Y se retira, sin mirar al Vikingo, como si temiera que éste súbitamente le fuese a lanzar tarascada.

Belka le dice que entonces mejor regresará al mediodía, a la hora de almuerzo, así de una vez aprovechará para hablar con el médico.

María Elena le pide que se acerque y le habla al oído:

–Quiero que me hagás un favor: llamá a tu tía Ana y le preguntás cómo está doña Cecilia y también si se ha sabido algo de Albertico y Brita...

Belka la mira con enfado.

–¡Cómo se le ocurre que voy a hablar de eso por teléfono, mamá!... –masculla, entre dientes–. Usted cree que estoy loca.

–No tenés que mencionar sus nombres, sino sólo preguntar si los muchachos ya aparecieron –musita, viendo por el rabillo del ojo al Vikingo, temerosa de que éste de pronto vuelva en sí–. Ana entenderá...

–Veré si me queda tiempo –dice Belka de mala gana antes de despedirse.

A Belka le repugna el hecho mismo de tener que llamar a su tía Ana. No es que no la quiera, por el contrario, pero más de una vez ha dicho que le molesta cuando le contestan doña Cecilia o la niña Yolanda con ese tono condescendiente con el que se trata a la hija de una vieja sirvienta que llama a su tía sirvienta. De chica, Belka no era así de amargada, ni cuando joven. El resentimiento le ha ido creciendo en la medida en que le ha ido mejor en su carrera de enfermera. María Elena no entiende por qué su hija se ha vuelto tan desagradecida, en especial con la gente que les ha hecho bien, que las ha apoyado, como la familia de don Pericles y doña Haydée; no comprende de dónde le viene esa soberbia. Y lo que es peor: la insensibilidad ante la injusticia. A veces le parece que lo hace sólo por llevarle la contraria.

Tiene ganas de orinar. ¿La dejarán ponerse de pie y caminar? Lo duda. El médico fue claro: inmovilidad total. Espera que la enfermera regrese pronto.

El Vikingo empieza a respirar con agitación, con una especie de ronquido.

–Vikingo... –se atreve a susurrarle como si éste fuese a oírla, como si pudiese despertarle. Ella piensa que si él oye su voz tal vez encuentre nuevas fuerzas para sobrevivir. Enseguida lo lamenta: se dice que no debe hacer tonterías, cualquiera de los otros pacientes puede oírla o Belka podría entrar de improviso.

Entonces recuerda la mirada de Joselito cuando descubrió al Vikingo. Hubo un destello de ferocidad que ella no le conocía.

12

La gorda Rita se aproxima a la iglesia con una sensación de flojera en las piernas. Del lado del parque Libertad aún quedan restos de barricadas; los disturbios de antenoche y de ayer fueron intensos. Enfila hacia el atrio. Por suerte la iglesia ya no está tomada: grupos de campesinos la mantuvieron cerrada hasta hace una semana. Hubo ametrallamientos, amagos de que las tropas iniciarían un desalojo; aún quedan mantas con consignas colgadas de una pared.

Sube las gradas.

Tiene miedo, pero se ha propuesto no pensar en ello, sino en lo que tiene que ir a comprar al mercado para preparar el almuerzo.

Dejó a Marilú en el comedor bajo llave. Al salir de la iglesia irá a recogerla para que la ayude a cargar la compra.

Desde el atrio se vuelve hacia el parque, como si esperara que Leandro fuera a venir detrás de ella. Pero entonces se asusta al imaginar que el gordo Silva o el Chicharrón pudieran verla entrando a la iglesia. Siempre les ha dicho que a ella le caen mal los curas y los subversivos, tal como doña Lorena le aconsejó que hiciera a fin de no tener problemas con la clientela de la policía, a fin de ganar su confianza; les ha dicho que ella sólo cree en el Cristo Negro de Esquipulas.

Entra al templo oscuro; agradece el aire fresco.

A esta hora casi no hay fieles: dos en la banca frente al altar y otros tres jóvenes conversando en una banca en la parte de en medio.

Si alguno de los detectives la hubiera visto entrar, ella le explicaría que ha venido a rogar para que ese viejo malandrín de Sergio se largue de la comunidad sin hacerle daño a Marilú.

Se acerca a uno de los confesionarios del fondo a la izquierda, tal como le indicó Leandro. Se lo dijo con tal énfasis, y hasta lo repitió, que tantos meses después a ella no se le olvida la indicación.

Cae de hinojos en la banca, se santigua y enseguida le pide a Dios que su negocio siga como hasta ahora, que no haya malas noticias, que los ataques al Vikingo y al machetero sean una coincidencia y nada tengan que ver con ella.

Permanece hincada unos momentos, pero enseguida le duelen las rodillas y se sienta. Echa una ojeada a su alrededor: ninguna señal de Leandro.

¿Habrá venido demasiado tarde o demasiado temprano? Ella está segura de haber visto en el reloj del cine Libertad que faltaban tres minutos para las nueve.

Se asusta cuando resuena la primera campanada.

Vuelve a mirar hacia la entrada. Leandro aparecerá de un momento a otro.

Doña Lorena es una contadora profesional, no le cabe duda, le ha ayudado en todo, y si bien le ha preguntado sobre los detectives de la policía secreta, lo ha hecho con mucha discreción, se dice la gorda Rita. Pero enseguida piensa lo contrario, que doña Lorena es modosita pero demasiado curiosa... Le cae mal que su mente no le haga caso, que ahora le lleve la contraria y la hunda en sospechas.

¿Quiere hacerse la tonta?

Entonces ve a Leandro: ha asomado su rostro chato por una pequeña capilla lateral ubicada a un par de metros de donde ella se encuentra. Le hace un gesto para que se acerque. ¿Ya estaba ahí cuando ella llegó? ¿O por dónde entró? Viste el mismo atuendo que unas horas atrás.

–Hola –dice ella, dubitativa. No le dice ni Leandro ni hijo, porque él le advirtió tiempo atrás que en público nunca lo saludara con su nombre, que se trataran sin familiaridad. Aunque ahora ella, quizá por la angustia, quisiera llamarlo hijo.

Permanecen de pie, de cara a un pequeño altar atiborrado de imágenes, como si fuesen dos fieles extraños que hubiesen coincidido en la misma capilla. Ella mantiene las manos entrelazadas a la altura del pecho.

–Las cosas se han complicado y es posible que tenga que cerrar el negocio –le dice él a boca de jarro.

–¿Y eso? ¿Por qué?

–No le puedo dar detalles.

Ella traga saliva. Lo sabía: no podía ser nada bueno.

–¿Cuándo tendría que cerrarlo?

–No sé. Tiene que estar atenta. Puede ser hoy mismo, mañana o en un par de días.

El miedo da paso a un acceso de rabia. ¿Y todo el esfuerzo que ella ha hecho en estos seis meses Leandro quiere tirarlo a la basura? ¿Cómo se le ocurre? Es una injusticia.

–¿Ahora? Cuando mejor me va –dice ella con enfado–. ¿No sería posible esperar unas semanas? Tal vez todo se arregla.

Leandro se ajusta la corbata y con la vista fija en el altar le dice:

–Corren riesgo usted y la niña. –Nunca ha dicho mi hermana, sino siempre «la niña»–. Si las capturan, las van a torturar y matar.

—¡Dios santísimo! –exclama y se santigua–. Pero, ¿por qué?

Siente que todo le da vuelta. Sus suposiciones entonces han sido ciertas. Padece una intensa sensación de desamparo. Tiene ganas de llorar, pero ella hace muchos años que no llora.

—¿Y ahora qué voy a hacer? –pregunta como si se lo estuviese preguntando a la imagen del santo que tiene enfrente.

—No se angustie. La sacaremos de esto. Y quizá podamos montar el comedor en otra zona... ¿Alguno de los policías sabe dónde viven usted y la niña?

—No conocen la casa, pero saben que vivo en la Tutunichapa.

Leandro guarda silencio. Tiene sólo veinticinco años, pero a ella le parece un viejo experimentado, lleno de escondites y secretos. Y ahora comprende que su vida está completamente en manos de él.

—¿Es por lo del Vikingo y lo del machetero? –pregunta ella en un murmullo.

Él la ve por el rabillo del ojo, como si no comprendiera de lo que ella habla. Luego le dice:

—Tiene que seguir las indicaciones de doña Lorena. Si ella le dice que deben irse en ese momento con ella, que deben acompañarla de inmediato, no lo dude ni un segundo. Hágale caso en todo. ¿Entiende?

13

–Está vivo el muy hijo de puta –le dice Joselito una vez que se ha sentado a la mesa y ha colocado su mochila en la silla de al lado.

Dimas lo observa con desconcierto.

–¿Quién está vivo?

Dimas llegó unos minutos antes a ese cafetín situado en el lindero del campus, cerca de la entrada a la Facultad de Derecho, frente a la gasolinera.

–El cerote al que le dimos ayer...

–No te puedo creer... –exclama Dimas, sobándose el bigotito–. ¿Cómo sabés?

Hablan quedito, aunque ellos son los únicos clientes. Es temprano; acaban de abrir.

Una chica adolescente, que barría del lado del mostrador, se acerca a tomarles la orden.

Al salir del hospital, Joselito se dijo que tenía que contarle al Chato, pero enseguida pensó que mejor lo hablaría primero con Dimas. Lo buscó en el pasillo de la facultad, al salir de la primera clase, y le pidió que se encontraran en este cafetín, que era urgente. Con el Chato tiene un contacto al mediodía.

Piden dos gaseosas.

–¿Quién te contó? –inquiere Dimas, aún con cierta incredulidad.

–Yo lo vi.

–¿Dónde?

Joselito ha repasado los sucesos una y otra vez. Por nada del mundo les contará que su abuela lo ha descubierto, que ella iba pasando en el preciso instante en que ellos salían luego de atacar al objetivo.

–En el Hospital Rosales. Ayer internaron de emergencia a mi abuela. La fui a ver hoy tempranito, antes de venir a clase, y ahí estaba el muy hijo de puta en cuidados intensivos.

–¿Estás seguro de que era él? –insiste Dimas con los ojos muy abiertos.

–Ninguna duda. Ya lo operaron, porque tenía unos tubos que le salían de las tripas... Pero aún estaba inconsciente.

Dimas se restriega el rostro con las palmas de sus manos.

–Qué mala suerte... –musita.

La chica llega con las gaseosas.

Ellos permanecen en silencio hasta que ella se retira.

–No le has contado nada al Chato, ¿verdad? –pregunta Dimas, abatido.

Joselito niega mientras sorbe de la pajilla. Y luego dice:

–Pero se lo tengo que informar.

–Nos van a sancionar.

Es lo que Joselito teme, lo que no quiere que suceda. Él no tuvo ninguna culpa, quien dio la orden de replegarse fue Dimas. Pero la sanción será para los dos.

–No le digás nada al Chato.

–Y cuando aparezca vivo... De todas formas la organización se dará cuenta.

–Quizá se muera en el hospital. Para qué nos vamos a quemar antes de tiempo.

Dimas tiene razón: es mejor esperar. Y él le dio la certeza al Chato de que el objetivo moriría de los dos disparos.

Se quedan un rato en silencio, divagando.

El rostro de Joselito se contrae: recuerda de nuevo el momento cuando Dimas exclamó «Qué chiripa». Se dispone a reclamarle, a decirle que no fue ninguna chiripa sino su buena puntería, pero en ese instante éste le pregunta:

–¿Qué le pasó a tu abuela?

–Tuvo un accidente. Por poco la atropellan. Y en la carrera se golpeó bien feo en la cara.

Joselito no termina de comprender por qué su abuela iba pasando por ese lugar exactamente en el momento en que ellos salían de la operación, por qué fue atacada por uno de los gorilas y cómo vino a terminar en una cama de hospital a la par que el hijo de mil putas al que ellos tenían que ajusticiar. Tantas coincidencias lo rebasan.

Y por si lo anterior fuera poco, desde anoche siente que algo se le retuerce en su interior cuando recuerda que su madre tiene el propósito de comenzar a trabajar en el Hospital Militar. ¿Cómo puede ser tan reaccionaria para ponerse al servicio del enemigo? Le produce náusea sólo de pensarlo, y también vergüenza. ¿Qué dirán sus compañeros? Se lo tendrá que contar al Chato, pero ya decidirá cuándo y de qué forma.

Dimas observa a la chica adolescente que sigue barriendo por la entrada del cafetín. De pronto se vuelve y le pregunta:

—¿Y no habrá manera de darle matacán al objetivo adentro del hospital?

—¿Cómo?

—No sé. Vos sos el que lo viste ahí.

Joselito lo consideró mientras venía en el autobús hacia la universidad, pero pronto desechó la idea, no se le ocurría ninguna forma de montar esa operación. ¿Cómo va a matar a alguien que yace acostado en la cama junto a la de su abuela?

Niega con un movimiento de cabeza.

—Pensá —le dice Dimas—. Tal vez se te ocurre algo. Si nos lo escabechamos ahí, santo remedio.

—Ya te dije: está en la sala de cuidados intensivos, junto a mi abuela, con cuatro pacientes más y enfermeras que entran y salen...

Joselito se ha terminado la gaseosa. Con la pajilla comienza a chupar entre los hielos.

—Y si vamos los dos y en lo que uno distrae a tu abuela el otro se lo despacha... —dice Dimas.

—Ves mucha televisión... Vos creés que mi abuela es tonta o que será así de fácil.

—Tiene que haber una manera...

Puede que sí, si consiguieran una pistola con silenciador, pero montar una operación dentro de un hospital sin el conocimiento y la autorización del Chato sería demasiado arriesgado. ¿Qué tal si las cosas salen mal? No sólo lo sancionarían, sino que hasta podrían expulsarlo de la organización. Su abuela estaría de por medio, además.

—¿Vas a visitarla esta tarde?

—Si no sale otra cosa.

—¿Te acompaño a ver si se nos ocurre un plan operativo?

Joselito se le queda mirando sin ningún entusiasmo: acaba de tomar la decisión de informarle al Chato en su contacto del mediodía.

Niega con un movimiento de cabeza.

14

Hace un par de horas que María Elena fue trasladada a la nueva habitación. Es más amplia, con ocho camas, y tiene más luz, gracias al ventanal a través del cual se observa un patio. La ubicaron en una de las camas del fondo, junto al ventanal; una mujer joven, con aspecto de campesina, el rostro consumido, el espanto en los ojos y sumida en un mutismo total, yace en la cama de al lado.

El médico de turno pasó a revisar a María Elena: le dijo que ya estaba bastante repuesta, que el shock que había sufrido lo produjo no sólo el golpe, sino el susto, y que pronto podrá empezar a caminar con mucho cuidado.

La enfermera trigueña le ayudó a hacer sus necesidades en una bacinica después del traslado. Ahora ha regresado con un bote de suero y lo coloca en el trípode. Luego, inclinándose de tal forma que da la espalda a los otros pacientes, le cuchichea al oído:

—El hombre canoso que estaba a su lado, en la otra sala, vino con un grupo a capturar a un paciente hace dos semanas.

—No... —exclama María Elena, también en voz baja, para no despertar la atención de sus compañeros de habitación.

—Eran tres. Irrumpieron con las pistolas desenfundadas —sigue su cuchicheo la enfermera, deprisa, ansiosa, como si las palabras le estuviesen quemando la lengua—. Y se llevaron al paciente que acababa de ser operado.

—Lo mismo sucedió ayer en Clínicas Médicas —susurra María Elena, conmocionada—. Se llevaron a don Chente Alvarado, un médico al que yo conozco desde que era muchacho. ¿Se enteró?

La enfermera se ha incorporado. Afirma con un movimiento de cabeza mientras manipula el bote de suero.

—¿Los otros dos eran unos gordos? —pregunta María Elena.

La trigueña se inclina de nuevo y le dice que sí, que por eso se asustó tanto cuando ella mencionó que el gordo zarco es quien la golpeó y que en cualquier momento puede venir a visitar al Vikingo.

—¿Y entraron así nomás, sin cubrirse el rostro?

—No les importó nada...

207

Dios santo. Eso quiere decir que el Vikingo, el gordo zarco y el Chicharrón han cometido las mismas barbaridades. Quizá el Vikingo participó en la captura de Albertico. Aunque ella se lo mencionó y él pareció no recordarlo... ¿Por qué Joselito y su grupo atacaron al Vikingo en vez de al gordo zarco? Se arrepiente en el acto de haber concebido semejante idea.

La enfermera ronda a los otros pacientes. Cuando se dispone a salir, María Elena la llama.

La enfermera lanza una mirada de desconfianza a su alrededor.

Un par de pacientes la observan.

Le dice que regresará en un momento.

Si Joselito reconoció al Vikingo, como a ella le pareció obvio, quizá se abstenga de venir a visitarla en la tarde. No debería arriesgarse. La idea de que a su nieto le suceda lo mismo que a Albertico le produce un enorme desasosiego.

La enfermera ha regresado. Trae una bandeja con pastillas y vasos de agua; la coloca sobre un mueble de apoyo ubicado junto a la cama de María Elena.

–¿Quién era el paciente al que se llevaron? –musita ésta.

–Un profesor universitario –cuchichea la enfermera mientras le reacomoda la almohada–. Le habían pegado dos balazos en un enfrentamiento sobre la calle Arce. Dicen que estaba en una parada de buses cuando desde un jeep le dispararon, pero parece que logró defenderse e hirió a uno de los atacantes. Yo creo que lo dejaron por muerto y cuando se enteraron de que había sobrevivido y que lo habían traído a este hospital, se vinieron de una vez para acá...

–Pobre hombre –exclama María Elena.

La enfermera echa un vistazo a sus espaldas. Luego coloca una pastilla en la boca de María Elena y le da de beber con una pajilla del vaso de agua.

–Cuando los vi entrar creí que venían a rematarlo. Pero no. Nos ordenaron que les diéramos sus ropas y pertenencias, empujaron la camilla hasta la salida y lo tiraron en la cama de un pickup donde estaban otros hombres armados esperándolos...

María Elena cierra los ojos y de pronto la asalta la imagen del Vikingo y el gordo zarco blandiendo las pistolas en el corredor del hospital. Se estremece.

–Son unos sádicos –musita la enfermera–: ese profesor estaba muy grave. Se les debe de haber muerto en el camino.

–¿Para qué se lo llevaron entonces?

La enfermera alza las cejas.

Luego se encamina a repartir pastillas y vasos de agua a los demás pacientes.

La vecina de cama mira furtivamente a María Elena con sus ojos asustadizos, sin decir palabra. Ésta le sonríe; la otra baja la mirada.

Cuando la enfermera se dispone a salir, María Elena la llama de nuevo.

–Le quiero pedir un favor.

–Dígame –responde solícita la trigueña.

–Me puede avisar cuando el Vikingo vuelva en sí –dice María Elena en un susurro.

–¿El Vikingo?

–El hombre canoso...

–¿Para qué quiere saber eso? –exclama la enfermera con asombro.

–Es que ellos se llevaron al nieto de mis patrones y a su esposa. Yo estoy segura de que él sabe dónde están y puede ayudarme a encontrarlos...

–Dios la libre, señora... Yo que usted no me metiera en eso.

–Hágame el favor... –insiste y luego agrega–: Y le ruego que no le vaya a decir nada a mi hija.

La enfermera la mira con extrañeza.

15

Unos minutos después de las nueve de la mañana recibió la llamada telefónica: el doctor Barrientos le anunció que el empleo era de ella, la felicitó por todo lo alto y le informó que tendría que comenzar de inmediato. Belka sintió un calor intenso y cosquilleante, unas inmensas ganas de reír, de celebrar; pero se contuvo, Luisa permanecía en el escritorio a sus espaldas. Le dijo al doctor Barrientos que se apresuraría a arreglar todos sus pendientes para poder comenzar el próximo lunes, pero éste le replicó que la necesitaban «para hoy mismo», que no se preocupara, él se encargaría de hablar con las autoridades del Hospital de Diagnóstico y les haría entender que se trataba de una cuestión de urgencia, no de un ordinario cambio de empleo, sino que ella estaba siendo requerida por el hospital de la Fuerza Armada en momentos en que ésta es atacada por los enemigos de la patria, y que se la esperaba antes del mediodía para que firmara el contrato y se comenzara a familiarizar con sus nuevos colegas.

Eso sucedió a media mañana.

Y ahora, al mediodía, luego de firmar papeles y ser presentada a sus jefes y a sus principales subordinadas, ella va en ese auto, junto al doctor Barrientos, con rumbo incierto.

Sucedió de forma inesperada: ella se aprestaba a despedirse del doctor, pasaría a visitar a su madre al Hospital Rosales y luego regresaría al Hospital de Diagnóstico a resolver pendientes y proceder con la entrega de su cargo, cuando el bíper del médico empezó a sonar.

–Es de lo que te había hablado –le dijo entonces el doctor Barrientos mientras leía el mensaje en la pantallita–. Acompáñame.

¿De lo que le había hablado?

Ella objetó: se proponía visitar a su madre. Pero él le respondió que sería cuestión de una hora, no más.

–Ya estás contratada –le dijo como si Belka no fuera consciente de ello.

Entonces ella recordó lo que le había hablado: uno que otro trabajo extra, fuera del hospital, en apoyo de la Fuerza Armada, para el que se exigía la mayor seriedad y la máxima discreción.

Se dirigen hacia el centro de la ciudad, con las ventanillas cerradas y el aire acondicionado muy alto. El doctor Barrientos conduce con lentitud, atento a los demás autos, como a la espera de que uno de éstos haga una mala maniobra y vaya a golpearlo.

Ella ha ido sentada junto al doctor Barrientos tantas veces, a lo largo de tantos años. Casi siempre hacia el motel y luego hacia el apartamento de ella.

Pero hoy tiene una sensación distinta, como si estuviese iniciando una aventura. Siente contento, excitación, pero también un poco de miedo.

No, ella no se está metiendo en política. Desprecia la política.

Ella está subiéndose en algo firme, sólido, un trabajo que garantizará su futuro y el de su familia, aunque ahora ellos no entiendan.

Recuerda el silencio denso, áspero, hostil, en que se sumió Joselito la noche anterior luego de que ella le contara de su nuevo empleo. Pero no puso ninguna objeción, no hizo ningún comentario. Por suerte. Si María Elena hubiese estado presente, la situación hubiese sido otra. Ha sido una excelente decisión contárselo por separado. Se felicita. ¿Cuándo hablará con María Elena al respecto? ¿Esta misma tarde o esperará a que le den de alta?

—¿Adónde vamos? —pregunta mientras observa la aglomeración de peatones a través de la ventanilla.

—Cuando salgamos a hacer este tipo de trabajo tenés que acostumbrarte a no preguntar, a no querer saber —le dice el doctor Barrientos, concentrado en el auto que lo precede–. Ésa es la regla en esto: entre menos sepás, mejor.

Ella no tiene por qué preocuparse. Desde que se preparaba para presentar su aplicación al empleo, el doctor Barrientos le explicó que una que otra vez le tocaría acompañarlo a tratar pacientes que por distintos motivos la Fuerza Armada no podía trasladar al hospital.

No comprende por qué tanto misterio. Se trata de pacientes, nada más que de pacientes.

Odia cuando la gente se hace la misteriosa. Joselito padece de ello: le cuesta decir claramente las cosas. De igual tara padece Luisa, su jefa hasta esta mañana, cada vez que habla de sus funciones en la Asociación Nacional de Enfermeras.

Se hacen los misteriosos para darse importancia. Y ahora el doctor Barrientos sale con lo mismo.

Lo único en verdad importante es que a partir de ahora ella será supervisora de enfermeras del Hospital Militar. No hay ningún misterio en ello. Por el contrario: su cargo le abrirá las puertas del crédito bancario para aspirar a una casita, podrá comprar su auto y no tendrá que viajar más en autobús ni depender de que un médico caliente la acerque a su casa, y tendrá acceso a la tienda de la Cooperativa de la Fuerza Armada, donde todos los productos son mucho más baratos... Todo eso le dirá a su madre a boca de jarro para callarla, para que no haga la mínima réplica, tal como sucedió con Joselito. Ellos dependen del dinero que ella gana, carajo. No tienen por qué cuestionar nada. Ella merece respeto.

Bajan hacia el puente de La Vega.

Entonces recuerda: ¿qué andaba haciendo su madre en esa zona?... Otra que se hace la misteriosa.

Comprende que se dirigen al cuartel de la Policía Nacional.

–Vamos a la Policía, ¿verdad?... –le dice al doctor Barrientos, sólo para molestarlo, para que deje de hacerse el misterioso.

Éste responde con una mueca de fastidio, sin volverse. Y luego masculla:

–¡Ay, Belkita!...

Detesta que le diga Belkita. Él lo sabe; ella se lo dijo desde la primera vez que se fueron a la cama: ella estaba de rodillas, chupándolo, cuando él la llamó así, Belkita, sobándole la cabeza. Y ella le dijo que si la volvía a llamar de esa manera, se le irían de inmediato las ganas. Un rictus de amargura asoma en su rostro.

Enfilan hacia la cuesta que lleva al Palacio Negro.

De hecho nunca le ha gustado su nombre. En la escuela la molestaban por tener un nombre tan raro. Luego se acostumbró, pero aún lo pronuncia como si fuese una carga. Y lo que más le molesta es que su madre se lo puso para quedar bien con don Pericles, el patrón, quien le dijo que la bebé parecía una ardillita y que ardilla en ruso se decía *Belka*. Mucho después, cuando era una veinteañera, escuchó en el noticiero radial que ése era el nombre de una perra que los rusos mandaban al espacio. Nombre de perra rusa comunista.

Los detiene un retén de policías. Dos de ellos rodean el auto con los fusiles listos. Uno se acerca a la ventanilla del doctor Barrientos. Éste se identifica con su credencial y dice que el capitán Villacorta lo está esperando.

Ella nunca había entrado al Palacio Negro.

El doctor Barrientos maniobra dentro del estacionamiento.

Le ordena que lo espere en el auto.

Hace mucho calor. Ella baja la ventanilla. Observa los autopatrullas, los jeeps, los camiones.

Un hombre robusto, de mediana estatura, piel blanca y cabello castaño claro sale al encuentro del doctor Barrientos en el estacionamiento. Viste de civil, sport: un polo ajustado y pantalones chinos; la cachucha de beisbolista y unas gafas oscuras con aro de carey como de artista de cine. No parece policía, pero porta una pistola en la cintura. Se dice que seguramente es el capitán Villacorta.

Se vuelven hacia ella.

A Belka le parece guapo, que no pasa de los treinta y cinco años.

Y tiene la impresión de que el doctor Barrientos le habla de ella.

Pero pronto los dos hombres se separan con un gesto de asentimiento: el de la pistola al cinto entra deprisa al edificio mientras que el doctor Barrientos le hace señas a ella, para que lo siga, y se encamina hacia un todoterreno Land Rover, de color blanco, con cristales polarizados.

Ella camina entre las miradas lúbricas de los agentes que pululan ajetreados por el estacionamiento.

—Vamos con prisa —le dice el doctor Barrientos, quien sostiene abierta la portezuela trasera del Land Rover para que ella entre primero.

—¿Adónde? —pregunta ella.

—A ver a un paciente grave —dice él, acomodándose a su lado.

Un gordo de ojos claros y mirada siniestra se acomoda en el asiento del conductor; momentos después el hombre del cabello castaño y gafas oscuras entra al sitio del copiloto.

—¿Y su maletín? —le pregunta ella al médico.

—No te preocupés. A donde vamos hay implementos y lo necesario.

Encienden el motor.

—¿Y por qué no vamos en su carro? —le pregunta ella.

—No es prudente —responde él.

—¿Listo, mi capitán? —pregunta el gordo.

El hombre del cabello castaño asiente; enseguida saca de la guantera un antifaz y unos anteojos oscuros y se los tiende al médico, lanzándole a ella una mirada de reojo.

—Ponete esto —le dice el doctor Barrientos, dándole el antifaz.

Ella lo mira con un gesto de asombro.

—Eso... ¿Para qué?

—Son las órdenes —le dice, un poco impaciente—. Es mejor que no sepás adónde vamos. Por tu seguridad.

Y luego le susurra al oído:

—Ésta es tu prueba. Y también un privilegio...

Ella de pronto padece un acceso de miedo. ¿En qué se ha metido?

Pero obedece: se pone el antifaz sobre los ojos.

—Es de los mismos que te dan en los vuelos transatlánticos para poder dormir —le explica el médico, como si así pudiera relajarla. Enseguida le coloca los anteojos oscuros encima del antifaz.

El auto avanza deprisa, sacudido por los acelerones.

No puede pasarle nada. Ella confía en el doctor Barrientos. Esto forma parte de su nuevo empleo, aunque le desagrade la extraña sensación de impotencia que padece en esa oscuridad.

Trata de imaginar la ruta que van siguiendo, pero dejó de prestar atención mientras se ponía el antifaz y ahora no tiene la menor idea de la dirección en que se dirigen.

Casi no escucha el ruido de la calle. Las ventanillas van selladas y lo único que percibe es el zumbido del aire acondicionado y de los radiotransmisores.

¡Lo que pensaría su madre o Joselito si la vieran en este momento!... Le hace gracia. Y lo que son las cosas: detesta el misterio y ahora se ha venido a meter a uno bien grande.

—¿Sabés algo del Vikingo? —oye que el capitán le pregunta al gordo.

Éste responde que no.

Piensa que la voz del capitán es muy atractiva, seductora, en contraste con el chillido del gordo y la pastosidad meliflua del doctor Barrientos.

–Averiguá cómo se encuentra...

–¿Para qué, mi capitán? Ese cabrón no tiene regreso –responde el gordo.

Qué tipo más repugnante.

–Si ha vuelto en sí, ya debe de tener mareadas a las enfermeras con sus historias de cuando era luchador –comenta el capitán en tono de burla.

El Land Rover se detiene con brusquedad.

Se oye una sirena muy cerca.

El doctor Barrientos posa su mano sobre el muslo de ella mientras le pregunta al oído cuándo le darán de alta a su madre.

–En la tarde voy a saber –le dice ella en voz baja.

–Si hay alguna complicación, te repito, nos la traemos al hospital. –Percibe con más fuerza el aliento agrio del médico.

–Ahora no creo que haya necesidad, gracias. Quizá después le podamos dar seguimiento a su recuperación –dice Belka.

Y lo toma de la muñeca con suavidad para que le quite la mano del muslo. Imagina al gordo de ojos claros y boca soez observándolos por el espejo retrovisor. Y enseguida se pregunta si el capitán ya sabrá que ella ha sido la amante del doctor Barrientos. Estos hombres todo se lo cuentan.

–Ya casi llegamos –anuncia el gordo.

¿Aceptará su madre ser tratada en el Hospital Militar? No le quedará otra.

El auto baja la marcha, enseguida gira y da un pequeño brinco como si entrara a una cochera.

—Llegamos —le dice el doctor Barrientos—. Ya te podés quitar eso.

Ella apenas tiene tiempo para reacostumbrarse a la luz.

Los conducen por un estrecho pasillo hacia una habitación de paredes blancas y desnudas.

Un joven inconsciente y desnudo yace sobre un colchón tirado en el suelo.

Belka se acerca tras del doctor.

El joven tiene una larga herida recién suturada y en muy mal estado en el vientre, y una más pequeña en el muslo. Ella reconoce las heridas de bala.

Los han dejado solos en la habitación. El gordo de ojos claros y el capitán se quedaron afuera en conciliábulo con otros.

El doctor Barrientos se vuelve hacia un clóset empotrado en la pared, en cuyas repisas se amontonan instrumentos médicos y frascos de medicinas. Toma el estetoscopio y el tensiómetro.

—Está muy mal —comenta Belka—. Deberían llevarlo a un hospital.

El médico la vuelve a mirar con un gesto severo, como si ella hubiera dicho una impertinencia. Luego se agacha a auscultar al muchacho.

Belka toca su frente perlada: está hirviendo de fiebre.

El doctor Barrientos mueve la cabeza con una expresión de desesperanza y luego de molestia porque lo han hecho venir de balde. Le dice a Belka que saque del clóset un trípode y le instale suero y el antibiótico más potente.

–En un momento regreso –dice mientras se encamina a la puerta.

Ella procede a instalar el trípode con el antibiótico y el suero.

Luego permanece observando con detenimiento al muchacho: sus rasgos indígenas, su cabeza grande y cuadrada, los moretones en el rostro y los pectorales. Podría tener la edad de Joselito.

El médico entra acompañado por el capitán, comprueba que Belka ha terminado su trabajo y dice que es hora de irse.

Belka lo mira con un gesto de interrogación.

El capitán permanece observando al muchacho, pensativo, sin decir palabra.

El doctor Barrientos da media vuelta y sale al pasillo. Ella lo sigue con premura; detrás de ella va el capitán, cuya cercanía le produce un rico escalofrío en la espalda.

Entran al auto.

–La peritonitis se lo está comiendo –le mascula al oído el médico mientras le tiende el antifaz y las gafas oscuras–. Habría que operarlo de nuevo... Y quizá ni así.

¿Entonces para qué le pusimos ese suero y ese antibiótico que no detendrá esa potente infección?, iba a preguntar Belka, pero le pareció improcedente. Y en vez de ello, mientras se coloca el antifaz y las gafas, musita:

–Tal vez un milagro lo salva...

Luego, cuando el auto retrocede, ella percibe el

aliento agrio del doctor Barrientos que le murmura al oído:

–Bienvenida.

El capitán carraspea.

16

Joselito se ha recogido el cabello bajo la cachucha. Está sentado, de cara a la calle, en el bordillo de cemento que sirve de barda entre la acera y el estacionamiento del pequeño centro comercial ubicado a sus espaldas.

Siente excitación, una especie de cosquilleo que le sube desde la nuca: mientras lo conducía en un auto a esta zona, el Chato le informó que la jefatura ha decidido ascenderlo a comando urbano, lo que significa que deberá trasladarse de inmediato a vivir a una casa de seguridad y pasar a la completa clandestinidad.

Ha sacado un cuaderno de su mochila. Pareciera concentrado en la lectura de sus apuntes, pero por el rabillo del ojo está atento a cada uno de los autos que baja por la calle.

Nunca había visto al Chato disfrazado como burgués, con traje y corbata. Le dijo con cierta solemnidad que desde ahora podrá quedarse con la pistola, que será sometido a un entrenamiento intensivo y a cursos de formación ideológica para que esté a la altura de las exigencias de la revolución. Su vida dará un salto cualitativo, ahora será controlada por completo por la organización.

Esta misma tarde deberá pasar a casa a recoger su ropa y le dejará una carta a su madre y a su abuela. Ha decidido que ésta es la forma más conveniente de despedida. Pero aún no sabe qué escribirá en la carta, qué razones les dará a Belka y a María Elena para desaparecer. No quiso pedirle al Chato ningún consejo al respecto; lo hubiera visto como un nene.

Un maquilishuat, plantado en el arriate junto a la acera, lo protege del sol inclemente del mediodía. Debe permanecer en esta posición diez minutos. Entonces aparecerá Irma. Y caminarán abrazados, como si fuesen novios, hasta la parada de buses en la acera de enfrente, donde ahora esperan una media docena de estudiantes.

Ése es el plan. Caminar con Irma como si fuesen novios... El cosquilleo se le baja a la entrepierna. La guapura de Irma lo atrae, pero le parece que tiene un modito mandón. Ella será su responsable a partir de ahora, no sólo en esta operación sino en la casa de seguridad a la que se trasladará... Prefiere no pensar en ello. Puede distraerse y la operación es delicada, según le dijo el Chato, aunque no le dio detalles. Los pormenores del plan operativo se los explicará Irma cuando se dirijan a la nueva posición en la parada de buses.

Quisiera visitar a su abuela en el hospital, para despedirse, pero será imposible. Cuando le contó que el viejo torturador sigue vivo, internado en la sala de cuidados intensivos, recién operado y con unos tubos que le salen de la barriga, el Chato reaccionó con extrema cautela. Luego de hacerle muchas preguntas, le ordenó que no se acerque al hospital hasta nueva orden, dijo que él debe hacer consultas con la jefatura, que le parece muy raro que hayan llevado al torturador al Hospital Rosales en vez de al Hospital Militar, como corresponde. No vaya a ser que les estén tendiendo una celada.

Dimas pagará con una sanción la orden de retirada en medio de la operación de ajusticiamiento. El Chato fue explícito: «El compañero flaqueó», dijo, «tuvieron que haberlo rematado». Ni modo. Joselito no puede hacer nada. Dimas lo reclutó y es su amigo, pero a veces le gana el miedo. Ahora Joselito ha ascendido y Dimas permanecerá congelado. Si éste se entera, sentirá envidia.

Se pregunta por dónde aparecerá Irma: si por el pequeño centro comercial a su espalda o si bajará de un bus en la parada o si vendrá caminando calle arriba desde la universidad jesuita.

Es la primera vez que Joselito participa en una operación en esta zona de la ciudad. No son sus rumbos. Tan sólo un par de veces ha visitado esa universidad católica para burguesitos.

Un autobús baja desde la parte alta de la colonia Jardines de Guadalupe y se detiene en la parada. Los estudiantes suben.

Se pregunta cómo hará para fumar sus churritos de mota ahora que se convertirá en un cuadro a tiempo completo de la organización. El Chato le advirtió desde sus primeros contactos que nada de alcohol ni de drogas: la expulsión sería fulminante. Viviendo en una casa de seguridad deberá olvidarse de ello.

Entonces descubre a Irma: ha salido de una calle lateral, a la derecha de Joselito, y viene caminando por la acera de enfrente. Viste un bluyín azul, camiseta blanca y unas zapatillas tenis; del hombro le cuelga una mochila celeste y sus gafas de sol son grandes y cuadradas.

Enseguida ella cruza la calle.

Joselito permanece concentrado en la lectura de sus apuntes hasta que la siente a pocos pasos.

Alza la vista.

Ella lo besa en la mejilla, muy cerca de los labios.

–Vamos –le dice y le tiende su mano.

Joselito se siente turbado. Irma es de baja estatura, pero su cuerpo es atractivo: cinturita de avispa, el culito redondo y alzado, y los pechos turgentes; tiene una boca grande, de labios carnosos, y los ojos claros.

–¿Cómo estás? –le pregunta ella, sin soltarlo de la mano, con la sonrisa embelesada de la novia, mientras se aprestan a cruzar la calle.

–Aquí. Ya ves... –es lo único que se le ocurre decir a Joselito, aún con la turbación en el rostro.

Entonces Irma le hace un gesto para que él se agache y ella pueda hablarle al oído:

–Relajate... La orden es que simulemos ser una pareja de enamorados –le dice con la expresión de la novia que revela un secreto.

224

—Ya sé —dice él.

Ella es cinco años mayor que Joselito. Una mujer hecha y derecha, hasta divorciada, aunque parezca tan joven. Y también una militante mucho más fogueada. Cruzan la calle.

Joselito la abraza; Irma se recuesta en su hombro.

—Será una emboscada —le dice ella.

Y entonces le explica que han detectado una cárcel clandestina del enemigo en una casa ubicada a unas pocas cuadras de ahí, que emboscarán un auto procedente de esa casa en el que se conducen los torturadores, que la emboscada se realizará a cien metros de la parada de buses, desde varias posiciones, que ellos dos son parte de un anillo de contención que deberá hacer frente a eventuales refuerzos que salgan de la casa y que también deberán estar preparados para atacar al objetivo en caso de que éste retroceda hasta donde ellos se encuentran.

Joselito le soba el brazo; la piel de Irma es suave, casi sedosa. Luego baja la mano y le aprieta la cintura.

—No te pasés —le dice ella, entre dientes, con voz severa, pero sin perder el gesto tierno.

Se han guarecido del sol bajo unos almendros, a unos cinco metros de la parada de buses.

—¿Y la retirada? —pregunta Joselito.

—El mismo pickup que atacará al objetivo de frente nos recogerá en esa esquina —dice ella señalando con la boca.

—¿Y cómo sabremos cuál es el auto? —pregunta Joselito.

–No te preocupés. Ya te lo indicaré.

Hay poco tráfico. Joselito voltea hacia su derecha, donde supone que tendrá lugar la emboscada: antes de la bocacalle, cerca del restaurante. Comienza a hacerse una idea de las dimensiones de la operación.

–En cuanto pase el objetivo, vos te cruzarás la calle y te posicionarás en el maquilishuat –le indica ella mientras abre un poco el cierre de su mochila.

Joselito permanece alerta.

Tiene que haber un comando de observación y seguimiento con el cual Irma establecerá contacto visual, o quizá ella misma formó parte de ese comando y ya conoce de primera mano el auto que espera.

Ella se adelanta hasta cerca de la cuneta; luego se apoya de espaldas en un poste del tendido eléctrico, de cara a la dirección desde donde vendrá el objetivo; coloca la mochila en el suelo, entre sus piernas, con el cierre abierto. Joselito la ha seguido y ahora está frente a ella, cara a cara, dejándole un ángulo de observación.

Siente como si ella lo hubiera electrizado.

–El objetivo es un Land Rover blanco de vidrios polarizados –le dice Irma mientras le soba con ternura el rostro–. No sabemos cuántos vienen adentro. Tampoco sabemos con precisión en qué tipo de auto vendrían a ayudarlos, pero supongo que son jeeps. Y la idea es que cuando lleguen, si llegan, nosotros ya nos hayamos largado.

A Joselito le cuesta controlar la emoción que lo embarga cada vez que Irma lo toca. Ella sabe actuar; él no: siente una correntada con cada caricia.

—Acordate —dice ella—: debés estar posicionado en espera de los refuerzos, pero con un ojo atento a la emboscada, por si el objetivo logra replegarse hacia acá...

Él también coloca su mochila en el suelo, entre sus piernas, con el zíper abierto. Saca el pañuelo de su bolsillo y se lo anuda en la nuca.

—Si el objetivo se repliega al mismo tiempo que vienen los refuerzos quedaremos hechos un sandwiche... —dice Joselito observando a una pareja de estudiantes que se acerca a la parada de buses.

Irma lo ignora, como si él no tuviera que dar opiniones. Y enseguida le dice:

—Si por algún motivo el pickup no lograra recogerte, tu ruta de escape será por el centro comercial... Y luego te metés a esa universidad, que ahí tc les perderás.

—¿Y vos?

—Yo tengo mi ruta...

Joselito piensa en Gloria, su vecina, y en que Irma le produce cierto temor, como si ante ella se convirtiera en un jovencito sin experiencia.

—Acercate —le dice Irma—. Abrazame como si nos estuviéramos besando...

Joselito obedece; siente el aliento de ella a pocos centímetros de su boca.

Tiene el impulso de besarla, pero en ese instante ella murmura:

—Ahí vienen... Listo...

Por el rabillo del ojo Joselito ve pasar el Land Rover blanco.

Se desprende de Irma y cruza la calle deprisa presionando la mochila contra su pecho. Al llegar a la otra acera se parapeta en el maquilishuat, se emboza con el pañuelo, saca la pistola y se coloca otro cargador en la cintura.

Con admiración ve que Irma ha sacado de la mochila una subametralladora Uzi; se ha puesto una cachucha de beisbolista color azul.

Segundos más tarde oye el chillido de llantas, un golpe seco y las primeras ráfagas.

De una ojeada comprende la operación: cerca del semáforo, un auto ha salido intempestivamente de una cochera a chocar contra el Land Rover, mientras en sentido opuesto viene el pickup desde cuya cama tres comandos lo rafaguean a fuego cruzado.

El Land Rover retrocede a toda velocidad, inmune a las balas.

El pickup lo viene siguiendo, casi besándole el guardafangos.

Joselito observa que dos autos que bajaban en la dirección del Land Rover se detienen de súbito y tratan de retornar a toda prisa. No son los refuerzos.

El Land Rover sigue retrocediendo.

¡¿Qué pasa?! ¡¿Por qué no le cala la metralla?!

Joselito voltea hacia donde Irma, al otro lado de la calle, quien le ordena con un enérgico gesto de la mano izquierda que él permanezca en esa posición para contener a los probables refuerzos, mientras ella se lanza con la subametralladora a rafaguear por la parte trasera al Land Rover.

Pero en ese instante, con una diestra maniobra, el Land Rover logra dar media vuelta y arranca en estampida.

Joselito lo ve acercarse.

Parapetado en el maquilishuat, le descarga la pistola.

El Land Rover pasa raudo.

El pickup viene detrás. Apenas se detiene para que ellos suban a la cama.

Cuarta parte

1

Despierta con sobresalto. La habitación está en penumbras, pero un poco de luz entra desde el pasillo. El recuerdo le llega de golpe. ¡Dios santísimo! ¿Qué será de Belka?

Trata de incorporarse con cuidado. Se toca el collarín; un dolor le punza en el pómulo.

¿Qué horas serán?

Recuerda que cuando dieron las dos de la tarde sin que Belka llegara a visitarla, ella comenzó a preocuparse. Temió lo peor: que algo le hubiera sucedido a Joselito.

Se angustió montones. Le preguntó a la enfermera trigueña si Belka no se había reportado; aquélla le dijo que no, pero que no se preocupara, que pronto aparecería, seguramente le había surgido una emergencia. Un atraso normal entre enfermeras.

Pero María Elena comenzó a padecer un fuerte desasosiego, presentía que algo muy malo había pasado. La intuición de abuela, se dijo. Pero enseguida se arrepintió de estar invocando a la desgracia y se puso a rezar, a pedirle a la Virgen que ningún mal le hubiera sucedido a su Joselito.

Fue como si un rollo de película se hubiera soltado en su mente: las imágenes de Joselito embozado con el pañuelo se repetían una y otra vez, y luego el rostro odioso del gordo zarco cuando lo vio vigilando la casa de Albertico, en el alboroto después del tiroteo de la mañana y segundos antes de que le propinara el cachazo en el rostro. Lo que más temía era que ese animal pusiera sus garras sobre su nieto.

Y así estuvo, sumida en la oscura preocupación, en espera de que Belka apareciera, o al menos la enfermera con una noticia de alivio, hasta que a eso de las cuatro de la tarde se presentó la supervisora de enfermeras, y María Elena intuyó de inmediato que ésta era portadora de una mala nueva, y una angustia le apretó el pecho y la garganta.

La supervisora le dijo que había recibido una llamada de la oficina del doctor Barrientos para informarle de que Belka había sufrido un contratiempo, que por favor no se preocupara. María Elena preguntó qué tipo de contratiempo. La supervisora dijo que no le habían dado detalles, que sólo le habían asegurado que pronto se comunicarían de nuevo.

El rostro de María Elena se encarnó cuando cruzó su mente el pensamiento de que Belka se había ido a encamar con el doctor Barrientos, y que la supervisora estaba al tanto de ello. Pero enseguida se dijo que su hija no habría hecho eso, el doctor Barrientos le estaba buscando un nuevo empleo y seguramente por atender ese asunto se había retrasado.

El desasosiego, sin embargo, no desapareció. ¿Por

qué la supervisora se había tomado la molestia de venir personalmente a darle una noticia tan escueta? Volvió a tener ese feo presentimiento. Quizá Joselito había sido capturado o herido y ésta era la excusa que Belka se había sacado de la manga.

Intentó en un par de ocasiones de hablar con la mujer que estaba en la cama de al lado, para distraerse, desahogarse, pero ésta sólo la miraba con sus ojos de espanto. Quién sabe qué habrá visto esta niña que ha quedado así, se dijo. Le preguntaría a la enfermera si realmente es muda.

Hubo un momento en que la angustia fue tanta que decidió rezar un rosario, pero no tenía ninguno a mano. Por eso cuando apareció la enfermera trigueña le pidió que por favor le consiguiera uno. La enfermera le preguntó qué le sucedía, si necesitaba un calmante. Ella respondió que no, sólo quería rezar. Y le hubiera gustado poder contarle sobre el drama que significaba para ella que su nieto estuviera involucrado con los subversivos, poder sacarse de adentro esa verdad que la quemaba, pero ella estaba segura de que nunca lo haría, ni con la enfermera ni con nadie, y que esa verdad permanecería sepultada junto a otras viejas verdades en el fondo de su ser.

Entonces llegó el doctor de turno, quien luego de revisarla le dijo que se estaba recuperando con rapidez, que incluso ya podía levantarse para caminar con mucho cuidado a los sanitarios, y con suerte pronto le darían de alta. Hasta ordenó que le quitaran el suero y que le dieran alimentos líquidos.

La enfermera le trajo un rosario. Y María Elena se aplicó a su rezo, como quien se aferra a un conjuro para espantar el mal que la atormenta.

Se quedó dormitando con la letanía en los labios. Y acababa de despertar, amodorrada aún, cuando vio venir de nuevo a la supervisora. Con un estremecimiento supo que su intuición no le había fallado.

La supervisora le dijo que Belka y el doctor Barrientos habían sufrido un accidente automovilístico, que los estaban atendiendo en el Hospital Militar. María Elena estaba tan segura de que algo horrible le había sucedido a su nieto, que le tomó un par de segundos reaccionar. ¿Qué le había pasado a su hija? ¿Dónde había tenido lugar el accidente? ¿Cómo se encontraba ella? La supervisora le dijo que lamentablemente no le habían dado detalles, que sólo le habían dicho que no era nada grave.

María Elena sufrió un ataque de pánico.

La supervisora la tomó de la mano y le pidió que no se preocupara, que por suerte en el Hospital Militar tenían la mejor tecnología y a los mejores expertos. Pero María Elena había dado rienda suelta a un llanto quedo y profundo. Y farfullaba que las desgracias nunca vienen solas.

La supervisora le pidió los datos de algún familiar que pudiera presentarse al Hospital Militar. María Elena le dio el número de teléfono del apartamento, pero le advirtió que su nieto a esa hora estaría en la universidad; luego le dio el número de la casa de doña Cecilia para que se comunicara con su prima Ana.

La enfermera trigueña entró con un azafate. Preparó una inyección y se la puso en el brazo. Luego permaneció a su lado, acariciándole la cabeza.

Sollozó largo rato, víctima de emociones sombrías, preguntándose qué mal había hecho para que el Señor le destinara este castigo, prometiendo arrepentirse hasta de su mismo aliento con tal de que a su hija nada malo le sucediera. Poco a poco se fue quedando dormida.

Y ahora despierta en la penumbra de la habitación. Parece medianoche, por el silencio, roto apenas por los ronquidos de los demás pacientes. Tiene que averiguar qué ha sido de Belka. El médico le dijo en la tarde que ya podía caminar.

Hace a un lado la sábana y se incorpora con mucho cuidado.

Le duele el pómulo; también le zumba la cabeza.

Apoya los pies en el piso; se pone de pie y permanece quieta, atenta a su equilibrio.

Percibe que la mujer de la cama vecina la mira con los ojos abiertos como platos.

Antes de cualquier cosa le urge orinar.

Se desplaza lentamente, casi arrastrando los pies, hacia los baños. Le cuesta un rato encontrar el interruptor de la luz. Pasa al retrete y enseguida al lavabo. Observa en el espejo su rostro huesudo, con la mejilla vendada, el collarín que le aprieta el cuello y el cabello revuelto. Qué fachas.

No tiene tiempo que perder: debe averiguar qué ha pasado con Belka.

Sale al pasillo. Avanza hasta encontrar el cubículo de las enfermeras. La recibe la misma chaparrita, rechoncha y mofletuda, de expresión amarga, la primera que se encontró la tarde anterior.

—¿Qué hace aquí, señora? —le pregunta desde detrás de un escritorio, mientras se pone de pie—. Venga, la llevaré de nuevo a su cama.

—Necesito saber cómo está mi hija —dice María Elena.

—¿Su hija?

—Sí, Belka. ¿No le informaron que tuvo un accidente con el doctor Barrientos?

—Pero usted no debe estar levantada —le dice la enfermera, tomándola del brazo.

—El último doctor que me revisó dijo que ya puedo caminar con cuidado. ¿Podría llamar por favor al Hospital Militar para hablar con Belka? —le pide María Elena señalando el teléfono.

La enfermera se le queda mirando unos segundos, como si de pronto tomara conciencia del caso.

—A la hora de la visita, cuando usted estaba profundamente dormida, vino a verla una señora que dijo que era su prima. —La enfermera se acerca al escritorio y revisa una libreta—. Se llamaba Ana.

—¿Me dejó algún mensaje?

—Sólo dijo que volverá mañana temprano.

—¿Y mi nieto? Se llama José Rafael Hernández.

La enfermera revisa de nuevo la libreta. Dice que no vino y que tampoco llamó.

María Elena se dice que Joselito debe de estar atento a su madre.

–¿Puedo hablar con la supervisora? Ella recibió los mensajes del Hospital Militar sobre la situación de Belka.

–Ella ya se retiró. Y la supervisora de la noche está en la otra ala del hospital.

María Elena ve el reloj en la pared sobre un tarjetero: son las diez y cuarto de la noche. Caramba. Permaneció dormida por lo menos seis horas.

–¿Por qué no llama, por favor?

La enfermera le dice que lo hará en un momento, pero que María Elena debe regresar a su cama, que el doctor le dijo que podía caminar hacia el baño, no que anduviera de arriba para abajo como ahora estaba haciendo. Le promete que ella le llevará la información de lo que le digan en el Hospital Militar.

Pero María Elena no ceja; le ruega que por favor llame ahora mismo.

La enfermera la mira con cierta pena, quizá compasión. Enseguida busca en una lista de teléfonos pegada en la pared, toma el auricular y disca un número.

–Belka Hernández es su nombre –dice María Elena, aprensiva, tomándose las manos a la altura del pecho.

La enfermera se identifica como encargada de turno del Hospital Rosales, pregunta por Belka, aclarando que habla de parte de la madre de ésta.

Permanece atenta a la bocina, inmutable.

María Elena se ha acercado al escritorio.

–Si puedo hablar con ella, pídale...

La enfermera le hace un gesto para que se calme.

–Dicen que se encuentra en recuperación, que ahora no puede...

–Déjeme hablar a mí –gime María Elena y casi le arrebata la bocina a la enfermera.

Ésta se hace a un lado, con un gesto de enfado, y le pide que se tranquilice.

–Aló, aló... Yo soy la madre de Belka Hernández...

–Señora –dice la voz chillona del otro lado de la línea–, su hija está en cuidados intensivos...

–¿En cuidados intensivos? ¡Dios santo! ¿Y qué fue lo que le pasó?

–Un accidente. Sólo le puedo decir que se encuentra en situación estable. No tengo más información, señora. Disculpe. Hable mañana con el doctor...

–Ella iba con el doctor Barrientos. ¿Puede comunicarme con él?

–No. Ya se retiró. Mañana le podrán dar más información –dice la voz antes de desearle buenas noches y colgar.

María Elena se queda con la bocina en la mano, consternada.

–Vamos –le dice la enfermera, tomándola del brazo y encaminándola hacia el pasillo.

Ella obedece, aturdida, con una mueca de desamparo.

¿Qué le ha sucedido a Belka, Dios santo, para que esté en cuidados intensivos? ¿Qué tipo de accidente sufrió? ¿Por qué no le explican qué es lo que padece?

–Está en cuidados intensivos... –comenta, como si no terminara de creerlo.

–Usted también ayer estaba en cuidados intensivos y ahora ya se está recuperando –le dice la enfermera, tratando de animarla–. No se preocupe. Ya verá que mañana podrá hablar con ella...

Llegan a la habitación.

La enfermera le pregunta si tiene hambre, pues no ha cenado. Pero María Elena ha perdido el apetito; se mete a la cama.

2

No ha podido pegar un ojo.

Se ha repetido que de nada sirve angustiarse, que se hará la voluntad del Señor, que sólo le queda rezar y esperar a lo que mañana le traiga. Pero lo que dice su mente no controla lo que siente en el pecho, como si algo la estuviese estrujando o como si un llanto lacerante estuviese borboteando a punto de hacer erupción.

Necesita hablar con alguien, desahogarse.

Gira la cabeza hacia la cama vecina. La mujer con el espanto en la mirada duerme.

Entonces tiene la idea. Es como un luzazo, y luego un impulso incontenible.

Se incorpora con mucho cuidado. Sale de la cama. Camina hacia el pasillo. Observa hacia ambos lados: no hay nadie. Sabe que su sentido de orientación no le fallará. Avanza en dirección opuesta al cubículo de las enfermeras. Oye ronquidos, ataques de tos, gemidos.

Llega al final del pasillo. De ahí se dirige por un amplio corredor que circunda un patio interior. Mira de reojo un pedazo de cielo oscuro. Y luego enfila hacia la habitación de cuidados intensivos donde dejó al Vikingo. Ojalá no lo hayan movido. ¿Y si ya murió?, se pregunta de pronto. Dios quiera que no. Y el mismo impulso la hace entrar a la habitación en penumbra.

Permanece quieta unos segundos, atenta, orientándose.

El Vikingo está en el mismo sitio. La cama donde ella estuvo yace vacía.

Todos duermen profundamente.

Se acerca a la cabecera de la cama del Vikingo.

De pronto éste abre los ojos, asustado, como si temiera que alguien venga a hacerle daño. No la reconoce.

–¿Vikingo? –susurra ella–. Soy María Elena.

Él parpadea. Luego la mira fijamente.

¿Estará volviendo en sí ahora mismo o ya lo sabrá la enfermera?

–¿Me reconoce?

Qué alegría que esté vivo. Bendito sea Dios.

Revisa las camas vecinas, a ver si alguno de los pacientes se ha despertado por su presencia.

El Vikingo la sigue mirando.

–¿Cómo se siente? –susurra María Elena.

El Vikingo le hace un gesto con la cabeza, como pidiéndole que se acerque.

–¿Qué hace usted aquí? –logra articular.

Ella percibe el aliento apestoso, pútrido.

–Es una larga historia –dice, sentándose en el borde de la cama y hablándole casi al oído–. Llegué al mesón momentos después de que a usted lo atacaran y su amigo el gordo zarco me pegó un cachazo en la cara sin motivo alguno. Me fracturó el pómulo.

–Me agarraron medio dormido... –murmura.

–Olvídese de eso... ¿Ahorita está volviendo en sí o ya habló con la enfermera?

–Desperté al final de la tarde –masculla–. Aún había luz...

–He rezado por usted. Dios no abandona... –lo dice pensando en Belka.

–De ésta no salgo...

–No diga eso –lo interrumpe ella.

–Escuché cuando el doctor hablaba con la enfermera –dice el Vikingo con dificultad, como si le faltara el aire–. De ésta no salgo...

–Se recuperará. Tenga fe.

–¿Fe? –masculla–. Ja...

María Elena se vuelve: uno de los pacientes se revuelve en la cama como si sufriera una pesadilla.

–¿Cómo me encontró? –le pregunta el Vikingo.

–Yo estuve en esa cama hasta esta mañana... Nos trajeron en la misma ambulancia.

–Cuando desperté había una mujer ahí. Pero hace un rato se la llevaron. La palmó. Pronto me llevarán a mí... –comenta, y entrecierra los ojos, exhausto–. Pero usted se ve bien.

–No se burle. Estoy hecha un desastre –dice ella.

–Me dio alegría cuando la vi llegar en la mañana a mi cuarto en el mesón. No sabía que después de usted venía la muerte.

–No me diga eso, por favor –implora ella–. No se imagina lo que estoy pasando. Mi hija Belka sufrió un accidente automovilístico esta tarde y también está en cuidados intensivos...

–¿Aquí?

–No, en el Hospital Militar. Ni siquiera sé cuál es su estado...

–En el Hospital Militar... –El Vikingo permanece absorto unos segundos, como si hubiese perdido el hilo de la conversación. Luego pregunta–: ¿Por qué ahí?

–Iba con el doctor Barrientos, el subdirector.

María Elena se arrepiente en el acto de haberlo mencionado, temerosa de que este hombre, que en todo se inmiscuye, esté también al tanto de la relación entre su hija y el médico.

–En ese hospital es donde yo debería estar, pero me mandaron para acá porque creen que ya soy un desperdicio, saben que no sobreviviré –lo dice con un dejo de rencor.

María Elena lo observa con detenimiento. Este hombre está más íngrimo que ella. Y entonces no puede contener sus palabras:

–Hace dos semanas usted vino a este hospital con el gordo zarco a llevarse a un paciente...

El Vikingo aguza la mirada. Guarda silencio unos segundos.

—¿Quién dice eso?

—Yo lo sé. Estoy segura.

—¿Cómo puede estar segura?

—Y yo vi al gordo zarco vigilando la casa de los muchachos, de Albertico, el nieto de don Pericles, y su esposa. Y también estoy segura de que él lo capturó y que quizá usted tomó parte en ello.

El Vikingo ahora ha cerrado los ojos, como si el agotamiento lo hubiese vencido.

—Usted imagina cosas, niña María Elena —masculla—. El cachazo la ha afectado.

—No trate de zafarse, Vikingo. Sea valiente y admita lo que ha hecho.

—Yo soy valiente. Por eso aún estoy vivo... —reacciona con un acceso de energía—. Cuando esos cabrones entraron a dispararme, les respondí y se tuvieron que ir. Yo no me rajo... —agrega, tratando de mantener su mueca de bravuconería, y enseguida le pregunta—: ¿Usted nunca fue a la Arena Metropolitana a verme luchar?

Ella permanece absorta porque de pronto la imagen de Joselito embozado, saliendo a la carrera del mesón, ha vuelto a su mente.

—¿Ni siquiera me vio en la televisión?

—Eso ya me lo preguntó años atrás, cuando vigilaba a don Pericles y trataba de seducirme. ¿No se acuerda?

—Yo pertenecía al bando de los técnicos, de los limpios, aunque me comportara como un rudo —continúa él, ajeno a lo que ella le ha dicho—. ¿Y sabe por qué? Porque uno de los dueños decidió que si yo era rubio, y me llamaban Vikingo, debía pertenecer a los limpios, y que el rudo debía ser más bien un pirata, como el Bucanero, un luchador que vino años después...

—A ése sí lo recuerdo, lo vi en la televisión.

—Yo era mejor que él. Lo que sucedió es que cuando yo luchaba apenas comenzaban a transmitir las luchas por televisión. Por eso fui menos famoso...

María Elena tiene la impresión de que el paciente en la cama del otro lado ha abierto los ojos. Le hace una señal al Vikingo para que baje la voz. Éste gira la cabeza. El paciente ha vuelto a cerrar los ojos.

—¿Adónde se los llevaron? —pregunta ella—. ¿Los tienen en el Palacio Negro?

El Vikingo la mira largamente. Pero en vez de responderle, le pide que le acerque el vaso de agua que está en la mesa. Con los labios resecos, agrietados, bebe un par de sorbos. Luego le dice, como en secreto:

—Yo descubrí quién era el padre de su hija.

María Elena se queda de una pieza. Este hombre tiene una necedad con ese tema. Siente que está repitiendo la misma conversación que sostuvieron en el cuarto del mesón antes de que él se quedara dormido. ¿Qué fijación lo lleva a querer hurgar en el pasado de ella?

—No le estoy preguntando eso —alcanza a balbucear, sentándose rígida, a punto del enojo, porque ha comprendido que el Vikingo recurre al pasado de ella para no darle la información sobre dónde se encuentran Albertico y Brita.

246

El paciente del otro lado ha abierto de nuevo los ojos.

—Olvídese de ellos —masculla el Vikingo, como si hablar de eso lo agotara, como si no valiera la pena gastar sus pocas fuerzas en ese tema—. Ni siquiera son su familia... Si el gordo se los llevó, a esta hora ya están fríos. Es el procedimiento.

—¡No puede ser!... —exclama ella, conmocionada, tapándose la boca con la mano. Quisiera rebatirlo, encontrar un asidero, pero algo le dice que en esta ocasión el Vikingo no le está mintiendo, y sólo alcanza a balbucear—: Salvajes...

Permanece sollozando un rato. Luego se restriega los ojos y la mejilla sana, y le dice:

—Usted participó en la captura, ¿verdad?

El Vikingo niega con un movimiento de cabeza.

—A mí casi no me sacan a las operaciones —le dice viéndola a los ojos—. Dicen que estoy muy viejo, que ya no sirvo. Me la paso todo el tiempo en el Palacio...

—Entonces usted vio cuándo los llevaron...

—Llevan a muchos cada día. Ya le dije. Uno no se fija en las caras. Van vendados y el miedo los hace a todos iguales.

Dios santo, los mataron. Aprieta los labios, con la mirada perdida en el suelo. Los mataron. Y una inmensa tristeza le oprime el pecho, le nubla la vista... ¿Matarán también a don Chente, y a su Joselito si lo capturan?

—Uno no sabe cuándo llega la muerte, niña María Elena —murmura, consolándola, pero enseguida cambia de tono–. O como dicen: a cada cerdo le llega su día. Véame a mí, tirado allá en mi cuarto, sin saber que detrás de usted venía mi muerte. Y no la culpo.

Ella lo observa, sin decir palabra. Y comienza a sentirse culpable, como si de veras ella hubiera estado en confabulación con Joselito para indicarle dónde vivía el Vikingo y dejar la puerta sin llave... Padece un escalofrío.

–Usted sobrevivirá –logra musitar.

–Se equivoca. Ésta es la mejoría de la muerte. Así la llaman. Una enfermera lo dijo, sin saber que yo la escuchaba. Y tengo esta sensación de que en cualquier momento me voy... –musita, respirando con pesadez. Enseguida, como en un último esfuerzo, le dice–: Por eso le voy a revelar una cosa...

María Elena se ha puesto en guardia, la espalda rígida.

El Vikingo guarda silencio unos segundos y luego sentencia:

–Usted fue vengada

–¿Qué quiere decir?

–Ya se lo dije: yo descubrí quién era el padre de su hija, el hombre que le hizo el daño, por culpa de quien usted no volvió a conocer otro hombre.

María Elena cierra los ojos. Se dice que debe irse, que ya nada puede hacer por los muchachos si están muertos, que el Vikingo sólo quiere fastidiarla. El corazón le palpita con celeridad.

–No se vaya ahora –le pide él, como si le hubiera leído el pensamiento–. Óigame. Es mi último deseo.

Estoy en mi lecho de muerte. Y usted me trajo a la muerte. Tiene que escucharme.

¿Y si de veras este hombre tiene razón y ella le llevó a la muerte de la mano de Joselito? Se persigna. Quiere ponerse de pie y largarse, pero la culpa o una curiosidad morbosa o la conmiseración hacia el Vikingo le impiden moverse.

–¿Qué edad tenía usted cuando ese Clemente Aragón la violó? ¿Dieciséis, diecisiete?

Este hombre tiene al maligno adentro, se dice ella, sin reaccionar, abandonada, nada más observando el rictus del Vikingo, quien ahora cierra los ojos, como tomando un descanso luego de la estocada.

Y entonces ella recuerda: Clemen la perseguía por el cuarto de servicio, haciéndole cosquillas, y ella se defendía entre risas, escabulléndose por el lavadero, rodeando la pila, hasta que él la arrinconó en el cuarto y cayeron abrazados sobre la cama, él sin dejar de hacerle cosquillas en las axilas y ella forcejeando: fue cuando él le mordisqueó el cuello, y ella se fue abandonando, apenas oponiendo resistencia a la mano que él le metía en la entrepierna, y pronto él estuvo sobre ella, y ella abrió las piernas, sintió el desgarre y enseguida una humedad.

–Nadie me violó –dice ella.

El Vikingo abre los ojos; sonríe, como si de pronto hubiera recuperado sus fuerzas.

–Entonces la niña viene del Espíritu Santo –masculla con sarcasmo.

–Usted no entiende –dice María Elena–. Para ustedes los hombres todo es carne.

El Vikingo cierra de nuevo los ojos y repite:

–Todo es carne...

Guardan silencio.

María Elena nunca le contó a nadie, ni le explicará al Vikingo, que su dolor viene del rechazo, que Clemen después de satisfacer su deseo nunca volvió a tratarla de la misma manera, sino que con el mayor de los desprecios, ignorándola, como si ella fuera una basura, algo corrompido, y que pocos días después de poseerla él se comprometió con la novia que tenía en ese entonces, la tal Mila. Por eso María Elena ocultó su embarazo hasta donde fue posible, y cuando sus patrones se enteraron y le preguntaron sobre el hombre que la había embarazado, ella guardó el más férreo mutismo y nunca les dijo que el padre era su primogénito, Clemen, y que la criatura sería nieta de ellos. Y su silencio fue tan absoluto, su terquedad tan férrea, que ni siquiera a sus propios padres les reveló su secreto.

–Con el daño que esa familia le hizo y usted aún se preocupa por ellos... –masculla el Vikingo.

–Se equivoca. Usted todo lo ve desde su maldad –dice ella, sin énfasis–. A la persona que se portó mal conmigo ya la perdoné, y los demás fueron buenos.

–¿Buenos?... En distintos momentos a mí me tocó vigilar al padre, don Pericles, y al hijo...

Y capturar al nieto, piensa María Elena con amargura, sin decir nada.

–En eso nos parecemos usted y yo –continúa el Vikingo.

Ella no se parece en nada a este hombre, que Dios la perdone, pero éste es un engendro de Satanás. Se arrepiente incluso de haber rezado por él.

–En que los dos trabajamos con esa familia: usted como sirvienta y yo vigilándolos... Usted los conoció de una manera; yo de otra. –El Vikingo toma un respiro–. El don era serio, y usted sabe que yo lo respetaba, mientras que el tal Clemente era un gracejo. Le gustaba la lucha libre, y hasta formó un grupo de alcohólicos anónimos entre los luchadores cuando yo ya era policía. Por eso me destacaron a vigilarlo...

–¿Usted vigiló también a don Clemente? –pregunta ella con sorpresa, pues creía que el Vikingo se refería a don Betío, el hermano menor.

–Sí, pero por muy poco tiempo. Él nunca se enteró.

Ella siente que los recuerdos la avasallan en esa habitación penumbrosa. Ninguno de ellos existe ya: ni don Pericles, ni doña Haydée, ni don Clemente, quizá ni Albertico... Se sume en la tristeza, con la mirada perdida en la cama de al lado.

–Yo la deseé a usted un montón –murmura el Vikingo.

Ella permanece ensimismada, viendo hacia la cama, como si no lo hubiese oído.

–Cierro los ojos y la puedo ver cuando llegaba al comedor de La Rábida a recoger las tortillas. ¿Cómo se llamaba la dueña de ese comedor?...

A ella se le viene el nombre de inmediato, Matilde, pero no lo pronuncia ni vuelve a verlo.

–Ella me contó sobre usted... Así son las cosas. Lo que más queremos esconder es de lo que la gente primero se entera.

El Vikingo tose, con un mohín de dolor.

–Si no se siente bien, mejor ya no hable –le dice ella.

–Usted también me deseó a mí, ¿verdad?

Ella lo mira con enfado. ¡Qué se cree este hombre! Que porque está agonizando ella le tiene que aguantar sus insolencias...

–Reconózcalo –insiste el Vikingo.

–Está loco. ¡Cómo se le ocurre!...

–Todos deseamos a alguien...

–No quiero hablar de eso...

–No mienta que su Dios la va a castigar –le advierte con un dejo de burla.

–No tengo por qué mentirle.

–Claro que miente. ¿Quiere que le crea que usted nunca tuvo deseos de hacerlo con otro sólo porque la primera vez las cosas le salieron mal? –El Vikingo la contempla con una mueca de fastidio–. No me joda, niña María Elena. Ya estamos viejos. Y yo sé más que usted. De donde yo vengo todos terminan contando la verdad...

Dios santísimo. Este hombre le está reconociendo que es un torturador.

El Vikingo respira con dificultad. Está exhausto. Pero insiste:

–Si usted me hubiera dicho que sí, mi vida hubiera cambiado. Quizá no estaría muriéndome aquí.

Ella lo ve con un asomo de lástima: recuerda cuando la abordaba en la calle y le decía que en sus tiempos de luchador las mujeres se peleaban por tenerlo, pero que ahora lo único que él deseaba era que ella lo aceptara para iniciar una nueva vida. Nunca le creyó nada. Y aquí está, como si el tiempo no hubiera pasado, con el mismo chantajeo.

–Usted es quien vive en la mentira, Vikingo. Si yo le hubiera dicho que sí, usted sólo me hubiera usado para saciar su animalidad y hubiera seguido siendo lo que es.

María Elena siente de pronto una gran desolación, agotamiento. Es hora de irse. No quiere seguir con esos recuerdos ni con esa plática. Siente repugnancia hacia sí misma por haber hablado de su vida privada con semejante sujeto.

Pero en ese instante, una asociación de ideas le produce una correntada que la deja estupefacta.

–¿Por qué ha dicho que me vengué?

El Vikingo guarda silencio. Pese al rostro demacrado, ella reconoce su mirada burlona.

–¿No creerá que yo tuve algo que ver con el asesinato de don Clemente? –insiste ella.

Pero entonces comprende. Se pone de pie, con expresión de asombro, y le espeta:

–Usted mató a don Clemente, ¿verdad?

Eso sucedió ocho años atrás. Un hombre le disparó por la espalda. Fue unos días antes de un golpe de Estado. Hubo muchas versiones, pero el crimen nunca se aclaró.

–Lo pusieron a vigilarlo y después lo mató –sentencia ella, conmocionada por su descubrimiento.

–No fui yo, pero conocí en la policía a quien lo hizo.

–No mienta. Usted fue –replica María Elena, sin hacerle caso, firme, con certeza.

–Si yo hubiera sido, la hubiera buscado para que me diera las gracias, ¿o no?

Este hombre miente, es la encarnación de la mentira. Dios santo. Cómo puede existir alguien así...

–¿Quién lo mandó a matar? –pregunta ella.

María Elena lo lloró en silencio, pidiéndole perdón a Dios por haberlo odiado tanto en aquella época de su vida. Era el padre de su hija, aunque a ésta nunca se lo haya revelado, aunque él nunca la reconociera y la tratara con frialdad, casi desprecio, como a la hija de una sirvienta y un padre desconocido.

–En este negocio uno cumple órdenes, niña María Elena. Y el que da la orden no siempre es el que decide, el que en verdad manda... –masculla el Vikingo entre jadeos–. Sucede igual que en la lucha libre: el que nos ordenaba quién debía ganar y quién debía perder no era quien lo había decidido. Todo estaba arreglado y quienes lo arreglaban estaban bien arriba: los meros meros... Lo único que uno podía hacer era lucirse cuando la oportunidad se presentaba.

Un paciente carraspea.

–Así que también las luchas estaban arregladas –comenta ella con desazón, porque ha comprendido que este hombre no le revelará nada, que hasta en su agonía miente, se burla, falsea.

Oye pasos a su espalda; se voltea.

Es la enfermera chaparrita de expresión amarga.

–¿Qué hace aquí, señora?

María Elena se pone de pie, un poco avergonzada.

–La andaba buscando –dice la enfermera–. Debe volver a su cama. Y este señor está en muy malas condiciones, no tiene que hacer ningún esfuerzo ni conversar con nadie.

María Elena observa el rostro de la enfermera. Y sufre un estremecimiento:

–¿Tiene noticias de mi hija?

–Vamos –le dice la enfermera, tomándola del brazo.

Ella obedece. Con ansiedad presiente que en el corredor escuchará algo que no quisiera escuchar.

–Adiós, niña María Elena –murmura el Vikingo a su espalda.

Epílogo

—Ahí está el retén –dice el gordo Silva, incorporándose en el asiento del copiloto; se reacomoda sobre los muslos la subametralladora.

—Ya lo vi, cabrón. ¿Creés que soy ciego?

El Chicharrón baja la velocidad. El Gordo ha venido dormitando todo el camino y ahora quiere hacerse el alerta.

El pelotón de soldados está apostado tras sacos de arena a los lados de la carretera; en medio de ésta han colocado una docena de barriles pintados de amarillo entre antorchas agitadas por el viento.

—Qué sueño... –masculla el gordo, restregándose el rostro.

Son las dos de la mañana.

El jeep avanza a vuelta de rueda y en zigzag entre los barriles.

Los soldados los enfocan con potentes lámparas.

El teniente a cargo del retén asoma tras unos sacos de arena. Los observa con detenimiento y luego les autoriza que pasen con un gesto displicente.

Detrás del jeep del Chicharrón y el gordo Silva viene el pickup con ocho agentes, dos en la cabina y seis en la cama, todos con fusiles y sin uniforme.

Luego que pasan el retén, el Chicharrón acelera y mantiene la velocidad alta.

—Ya se siente el aire de mar —comenta olfateando entre la ventolera.

El pickup los sigue a la misma distancia.

Llegan al cruce de la carretera Litoral. Doblan a la derecha, hacia el puerto, y enseguida avanzan entre sus calles vacías, desoladas.

Todos los semáforos emiten la luz amarilla intermitente.

Un par de borrachines están tirados en la acera del parque central.

No encuentran un solo auto; la noche les pertenece.

—Al regreso podemos ver si hay algún puterío abierto —dice el gordo Silva.

—El capitán querrá que nos reportemos...

—Vos crees que va a estar en el cuartel y despierto después del refuego de la tarde... —comenta el gordo Silva, incrédulo.

—No hay maricón sin suerte... Aún no me la creo cómo saliste de esa emboscada —hay un dejo de admiración en el tono del Chicharrón..

—Los pendejos no sabían que el Land Rover está blindado. En un jeep normal nos hubieran hecho papilla —el gordo Silva se reacomoda—. No lo estaría contando.

Llegan a la salida del puerto. Siguen la carretera paralela a la costa.

—A la enfermera sí se la llevó putas —continúa el gordo—. Los cristales cedieron ante tanta ráfaga y no se mantuvo agachada. El último cabroncito fue el que la machacó de ese lado.

—Todavía está buena esa vieja —comenta el Chicharrón.

—A ver si sobrevive... —El gordo Silva se, despabila—. Entonces, al regreso buscamos un burdel.

—Mejor no correr riesgos —dice el Chicharrón—. Estoy seguro de que el capitán nos estará esperando. ¿No viste que han metido un catre en su oficina?

—Que éstos se vayan de regreso —propone el gordo Silva, haciendo un movimiento con el pulgar derecho hacia el pickup que los sigue— e informen que la misión ha sido cumplida. Y nosotros nos quedamos. Nos hará bien. Un par de cervecitas y un buen polvo. Necesito sacar la tensión. Antes de que amanezca estaremos de vuelta en el cuartel.

—Yo lo que necesito es dormir —dice el Chicharrón, comprobando por el espejo retrovisor que el pickup los sigue a la misma distancia.

Los potentes faros del jeep rompen la oscuridad entre los frondosos árboles que bordean la carretera.

—Los tiramos en el farallón luego del primer túnel... —dice el gordo Silva.

El cielo está cerrado. A su izquierda se percibe el rumor del mar y una que otra luz, lejanas y parpadeantes, procedentes de las casas en la playa.

—El capitán ordenó que a la rubia y al del afro los enterremos donde nadie los encuentre...

—A mí no me dijo nada —dice el gordo Silva con extrañeza.

–En ese momento andabas por el taller... –El Chicharrón baja la velocidad al tomar la curva–. Se ve que eran importantes, porque hasta el gringo llegó a oír lo que cantaban.

–Me dijeron que estaban recién desembarcados de Rusia –dice el gordo Silva, a quien le tocó montarles la vigilancia.

Una especie de camión viene en sentido contrario.

El gordo Silva empuña la subametralladora mientras se comunica por el radiotransmisor con los del pickup.

El Chicharrón mantiene la velocidad; hace una señal, encendiendo y apagando las luces altas. Los del camión responden con la misma señal.

El Chicharrón toca el claxon.

–Son de la Guardia –dice el gordo Silva.

Pasan de largo.

–Se nos adelantaron. Seguramente fueron a tirar una tendalada.

Aparecen señales que anuncian el primer túnel.

El Chicharrón baja la velocidad.

–Bien rica estaba esa rubiota –dice el gordo Silva con fruición, sobándose los genitales–. Yo nunca le había dado a un culote así...

–Cabrones... –exclama el Chicharrón en tono de reproche.

El ruido de los motores retumba dentro del túnel.

–Te tardaste mucho. Tu mala suerte –dice el gordo Silva, alzando la voz–. Yo fui el único que le pudo dar. De inmediato llegó la orden que la lleváramos a la ópera... Estaba bien apretadita. Y cómo lloraba la muy puta...

Salen del túnel.

–No me contés que me da rabia –dice el Chicharrón.

El gordo Silva sonríe, burlón.

El Chicharrón disminuye la velocidad, luego cruza a la izquierda y se mete por un camino de tierra. Se detiene unos cincuenta metros adelante; apaga el motor, pero deja las luces encendidas. El pickup los sobrepasa y se estaciona cerca del risco: hacia abajo cae el farallón, en cuyo fondo se estrellan las olas.

Salen del jeep y se dirigen hacia el pickup, iluminado por los faros del jeep.

–Aquí se quedan sólo dos –le dice el Chicharrón a los agentes que están sacando los cuerpos de la cama.

–¿Cuáles? –pregunta el cabo que ha bajado de la cabina; es el jefe de la patrulla. Tiene dos dientes incisivos de oro que lanzan destellos cuando abre la boca.

Hay huellas frescas de llantas sobre el terreno.

El Chicharrón se acerca a la cama del pickup.

–Al afro y a la rubia los vamos a enterrar más adelante.

–¿Enterrar?... –exclama el cabo–. ¿Y esa delicadeza?

–Son las órdenes –dice el gordo Silva, terminante. No le gusta ese cabo.

Ellos son detectives, los especiales, y están por encima de esos agentillos que en la noche deben salir sin uniforme.

Bandadas de zopilotes se agitan en el risco.

–Estos hijos de puta no descansan ni de noche –dice uno de los agentes, mirando a las aves de carroña.

–Ni nosotros, cabrón. Así que apúrense –dice el Chicharrón.

Hilos de sangre caen desde la cama del pickup a la tierra.

Dos zopilotes se posan aleteando sobre el techo del pickup.

–¡Hijos de puta! –exclama el cabo. Saca la pistola y les dispara.

Las dos aves, y las demás que acechaban por el risco, alzan vuelo en desbandada.

–Le falló la puntería, mi cabo –dice uno de los agentes.

El gordo Silva y el Chicharrón miran al cabo con desprecio.

Cuatro agentes llevan los dos cuerpos, tomados de los pies y los brazos, y luego de un hamaqueo los tiran por el risco. El ruido del mar apaga su caída al fondo del farallón. Los agentes regresan al pickup; cierran la portezuela de la cama.

–¿Y dónde vamos a enterrar a éstos? –pregunta el cabo mientras se dispone a subir a la cabina.

–Más adelante –dice el Chicharrón–. Pasando el segundo túnel.

Se dirigen al jeep.

–¿Uno de esos hijos de puta era el que sacamos a mediodía de Clínicas Médicas? –le pregunta el Chicharrón mientras enciende el motor.

–Ajá –responde el gordo Silva.

–No me había fijado. De nada sirvió entonces –dice el Chicharrón metiendo reversa y maniobrando el volante.

–No. Para eso llevamos al médico y a la enfermera, para que lo resucitaran, pero el cabroncito no resistió.

Vuelven por el camino de tierra hasta la carretera Litoral. Enfilan en dirección al segundo túnel.

–No me gusta cómo le relumbra la jeta a ese cabo –dice el gordo Silva.

El Chicharrón guarda silencio. Se siente cansado. Ha sido un día largo. Teme que de pronto el sueño vaya a vencerlo. Entonces se pregunta, en voz alta:

–¿Habrá sobrevivido el Vikingo?

El otro escupe por la ventanilla.

Dos autos turismo vienen en sentido contrario.

El gordo Silva empuña de nuevo la subametralladora.

El Chicharrón repite la señal con las luces altas, pero no obtiene respuesta. El gordo Silva no les quita la vista de encima.

Pasan de largo.

–Viste que la gorda Rita no abrió el comedor a la hora de la cena –comenta el Chicharrón.

Aparece el segundo túnel.

–Estos túneles son peligrosos –advierte el gordo Silva, con la subametralladora lista–. Es fácil tender una emboscada...

El túnel es muy corto, no sobrepasa los cincuenta metros.

—De este lado los podemos enterrar —dice el Chicharrón señalando hacia su derecha—. Más adelante hay un terreno plano.

—No veo nada —dice el gordo Silva.

—Hay una entradita.

El gordo Silva se comunica por el radiotransmisor con los del pickup. Les dice que vayan alertas, que pronto se meterán a un camino vecinal.

Avanzan otro medio kilómetro.

El Chicharrón baja la velocidad.

—Aquí es —dice.

Y se mete por un camino de tierra en medio de potreros.

Detiene la marcha unos cien metros adelante. Ahora el pickup se estaciona detrás del jeep.

Apagan los motores. Sólo se escucha el rumor del mar del otro lado de la carretera.

—¿Dónde? —pregunta el cabo de los dientes de oro al bajar de la cabina.

El chicharrón empuña una lámpara de mano.

—Ahí donde se ve la tierra removida —dice el Chicharrón, enfocando a un lado del pickup—. Será más fácil.

Los agentes levantan los cuerpos.

—¡Puta! ¡Este cabrón todavía viene vivo! —exclama el agente que lleva al afro tomado de los brazos.

Todos se acercan.

—No puede ser —dice el Chicharrón alumbrando el rostro destrozado del afro: tiene un ojo destripado y la boca y la nariz hechas una masa sanguinolenta. Enseguida alumbra el torso desnudo, a ver si se mueve con la respiración: los tajos de los machetazos han desgonzado el cuerpo.

—Si hasta huele a chamuscado —dice el cabo.

El gordo Silva se agacha y acerca su oído, como médico que ausculta, al pecho del afro. Luego se incorpora; los mira con un gesto de desconcierto. Se saca la pistola de la cintura y le descerraja un tiro en la sien.

—Por si las moscas —dice.

—Apúrense, pues —ordena el Chicharrón.

—¿Y las palas? —pregunta un agente.

El Chicharrón y el gordo Silva se ven con extrañeza.

—¿No las traen ustedes? —les reclama el gordo Silva.

—Nosotros no somos jardineros —responde el cabo—, no cargamos palas. Ustedes son los de esta ocurrencia.

—Qué pendejos... —exclama el Chicharrón.

Luego alumbra con su lámpara los alrededores.

—¿Y ahora? —dice el gordo Silva.